A-Z CARDIFF

G000277472

CONTE[NTS]

REFERENCE

Motorway	M4	**Posttown Boundary**	
A Road	A48	**Postcode Boundary** Within Posttown	
Under Construction		**Map Continuation**	12
Proposed			
B Road	B4562	**Beaches**	
Dual Carriageway		**Car Park** (Selected)	P
One Way Street Traffic flow on A Roads is indicated by a heavy line on the driver's left.	→	**Church or Chapel**	†
		Fire Station	■
Pedestrianized Road		**Hospital**	H
Restricted Access		**Electricity Transmission Line**	⊠– – –⊠
Track / Footpath		**House Numbers** (Selected Roads)	4 22 36
Residential Walkway		**Information Centre**	i
Railway	Tunnel / Level Crossing / Station	**National Grid Reference**	320
		Places of Interest	
Built Up Area	HIGH STREET	**Police Station**	▲
		Post Office	★
Local Authority Boundary		**Toilet**	▽
		with facilities for the Disabled	♿

SCALE

1:15,840
4 inches to 1 mile

Geographers' A-Z Map Company Limited

Head Office:
Fairfield Road, Borough Green, Sevenoaks, Kent, TN15 8PP
Telephone : 01732 781000

Showrooms:
44 Gray's Inn Road, London, WC1X 8HX
Telephone : 020 7440 9500

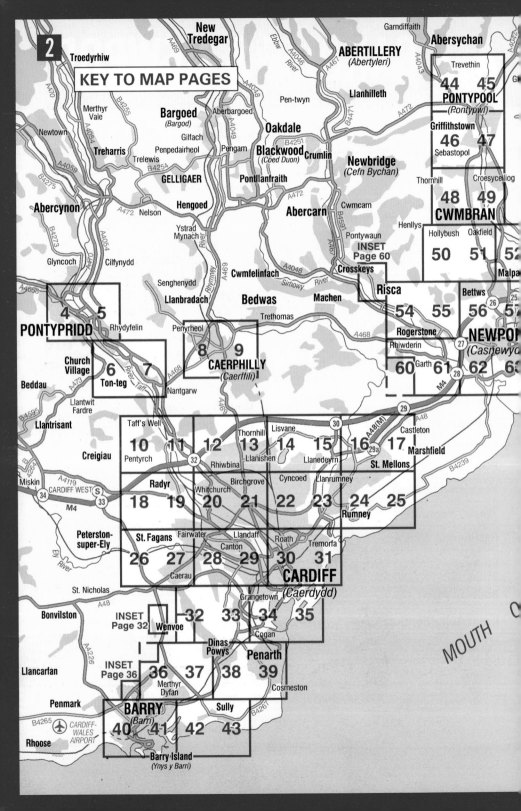

2

KEY TO MAP PAGES

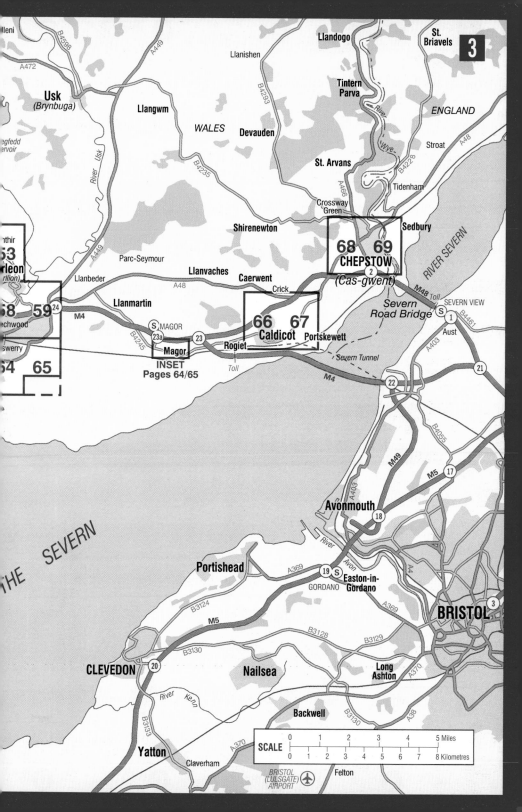

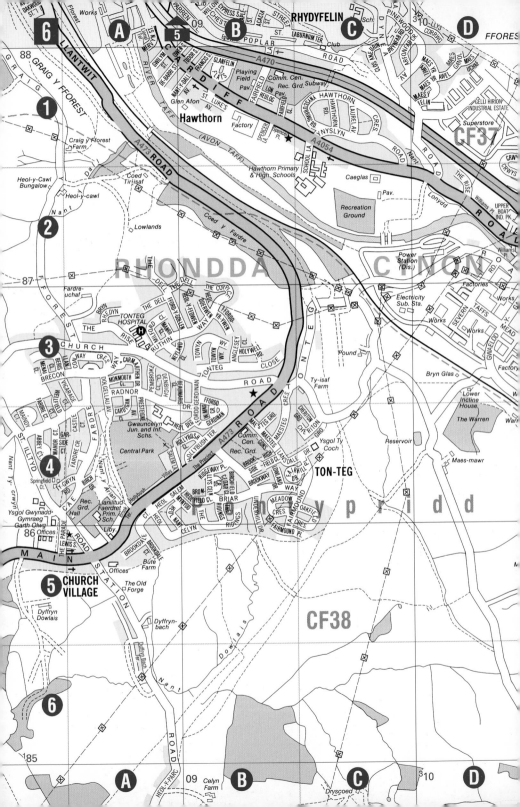

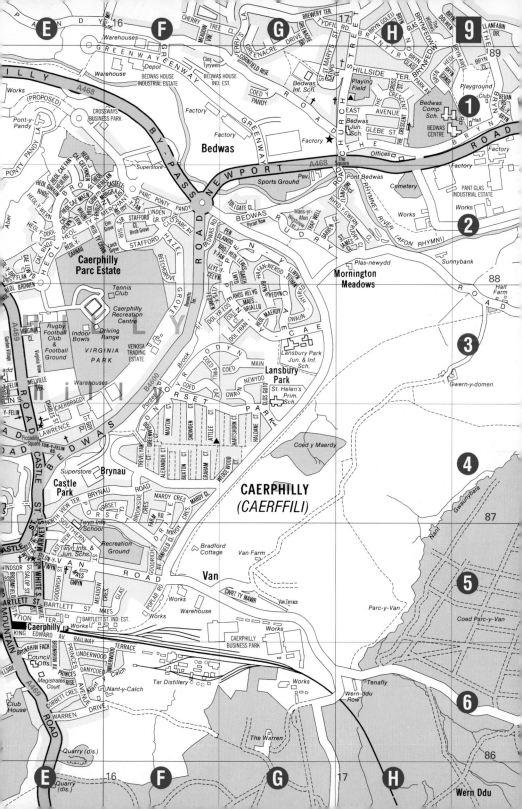

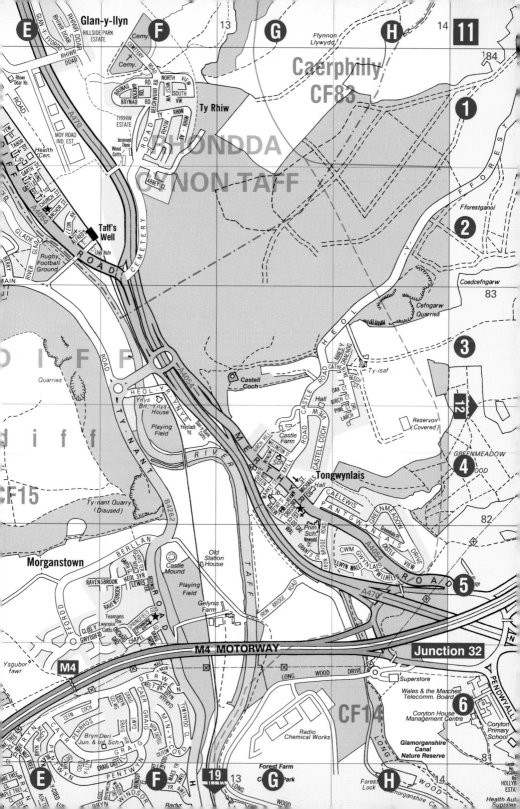

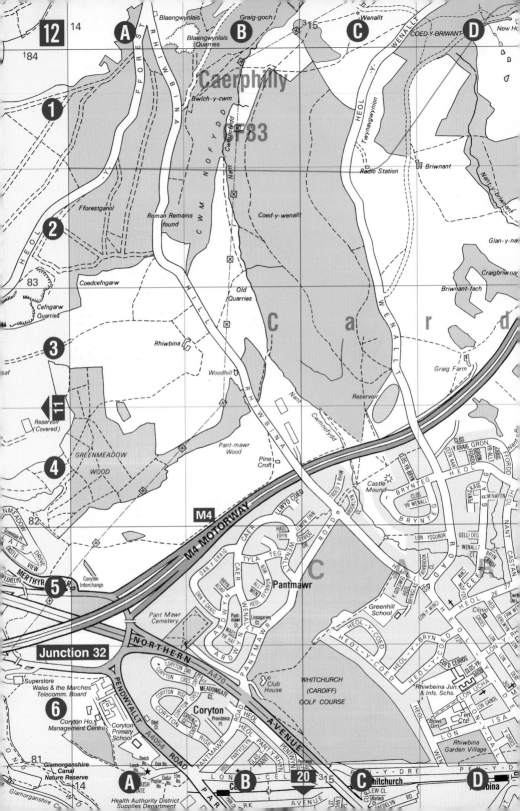

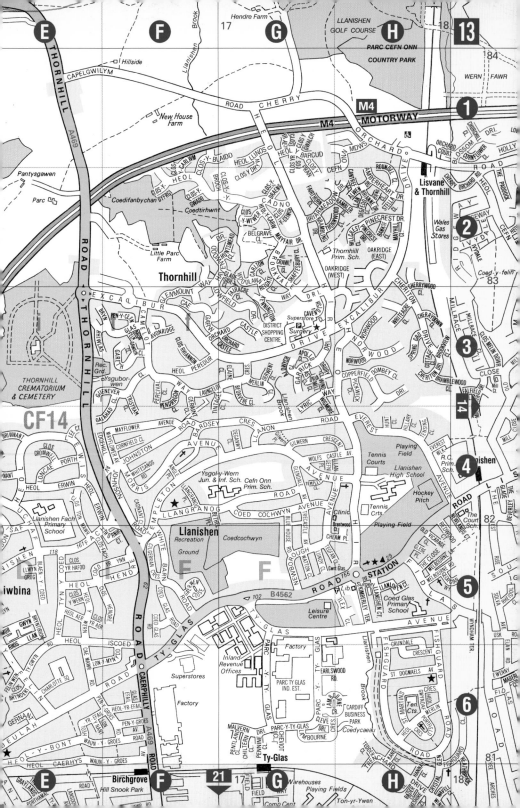

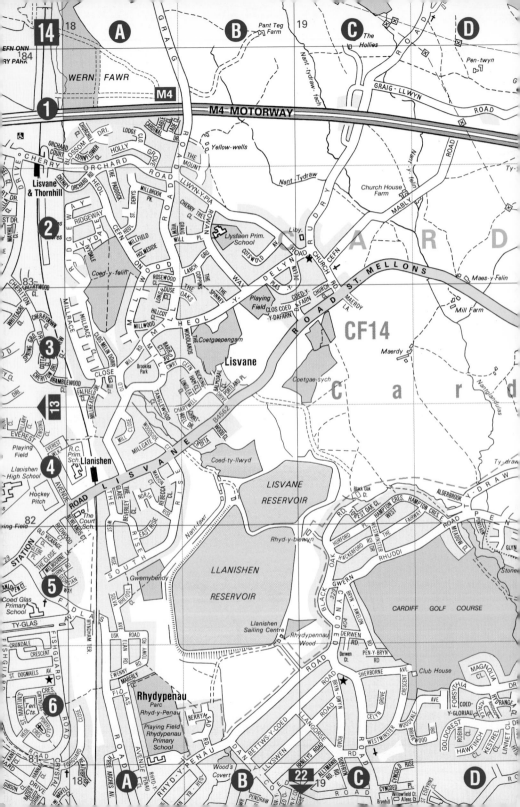

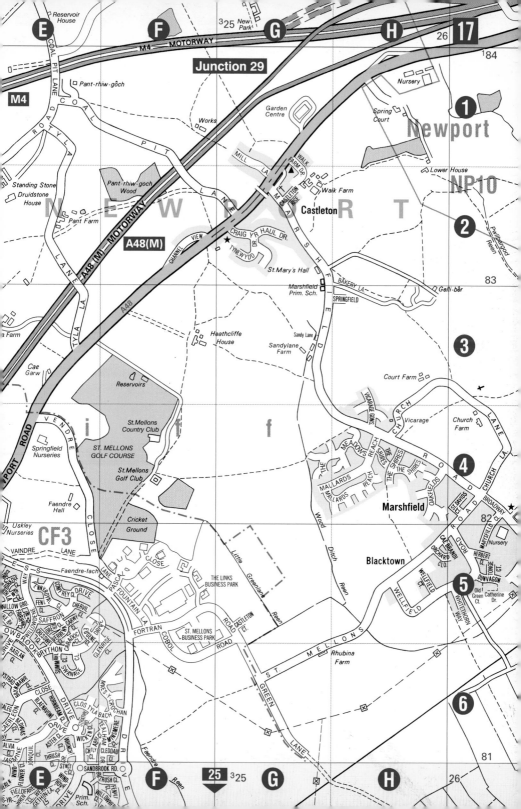

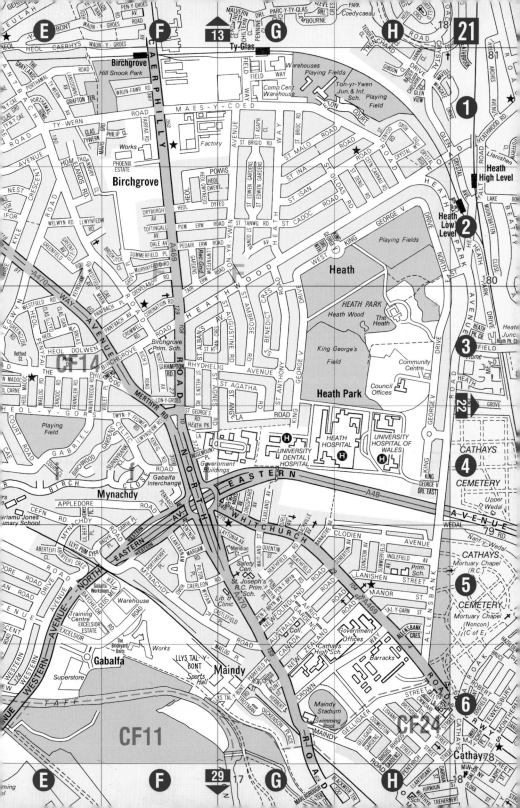

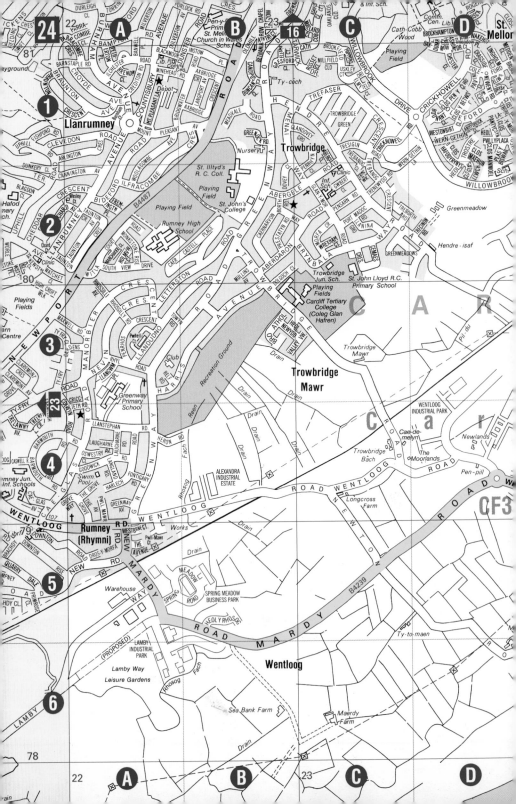

81

1

Rhosog Fawr Reen

Ton-yr-heol-las

2

180

D I F F

Pengam

Swy-y-mor Farm

3

Common Farm

NEWPORT

C O M M O N

The Willows

d i f f

Torwick

D r a i n s

Glan-y-Rhosog Farm

B4239

Sluice Farm

Car Depot

Sluice House Farm

Chapman's Farm

4

New House

B R O A D   S T R E E T

Rumney Great Wharf

Reen

79

ROAD

...wton Park

5

..ton

Newton Farm

MOUTH OF THE SEVERN

6

78

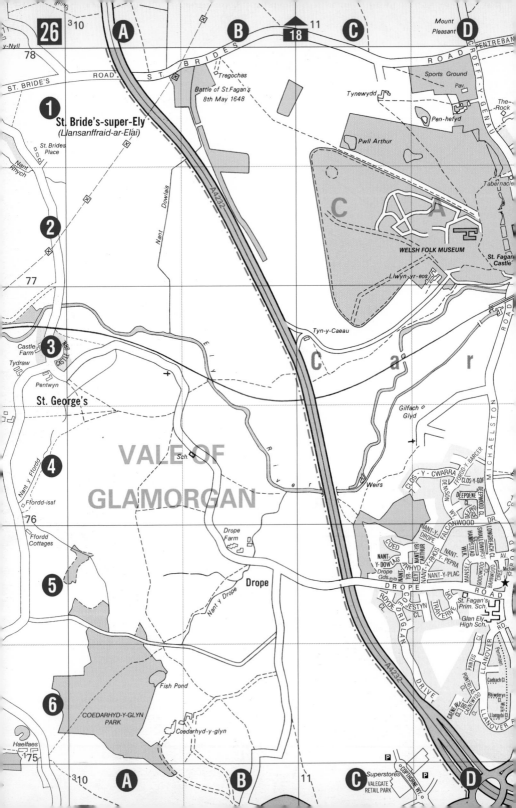

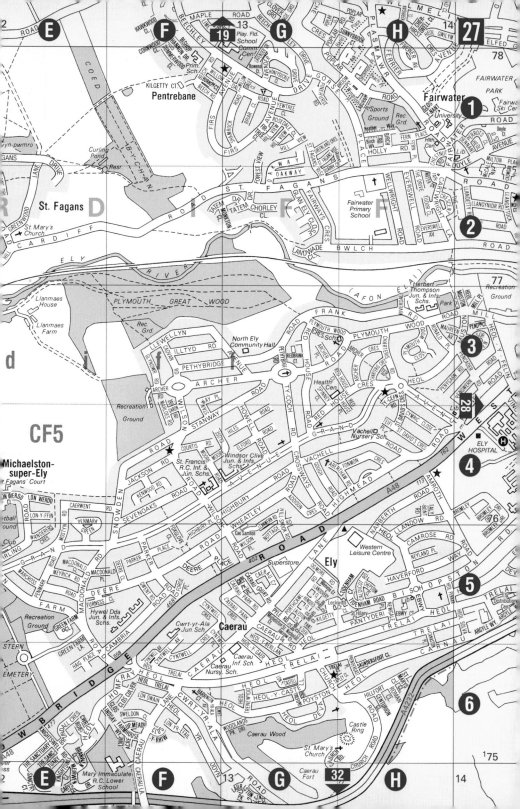

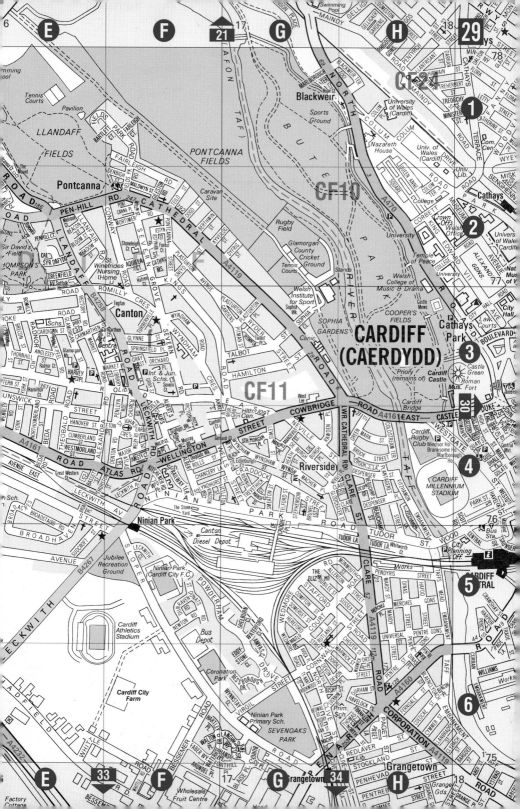

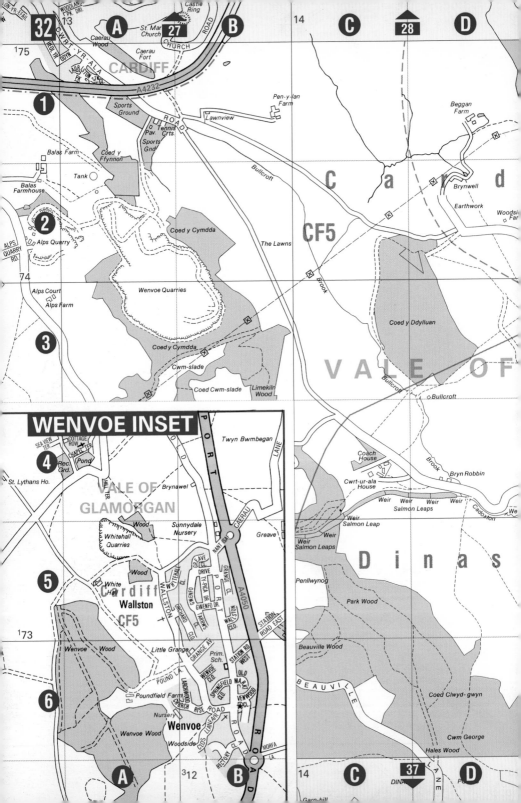

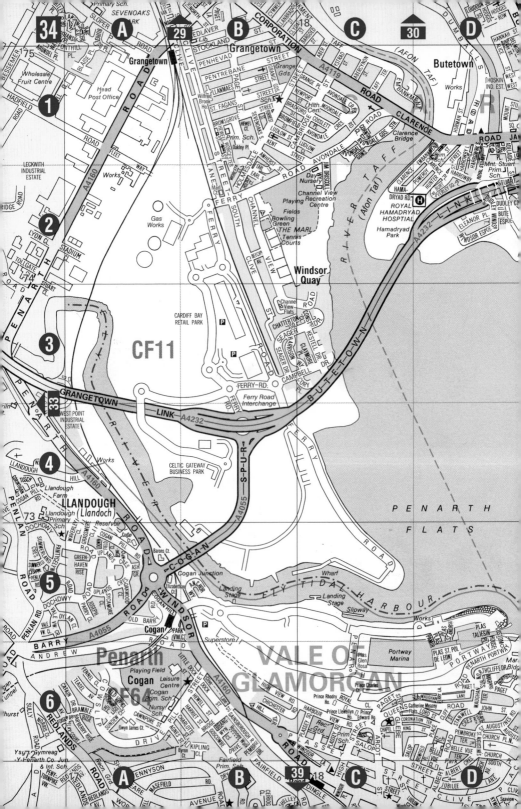

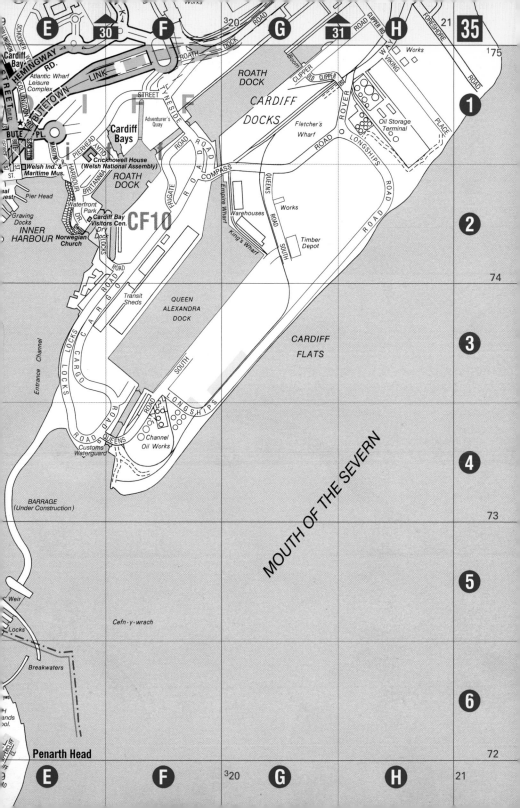

175

STREET

SCHOONER

Cardiff
Bay

HEMINGWAY RD.

Atlantic Wharf
Leisure
Complex

BUTETOWN

COLLINGDON

LINK

**ROATH
DOCK**

**CARDIFF
DOCKS**

Boom

CLIPPER

OLD CLIPPER

Works

VIKING

Works

1

BUTE PL.

MARITIME

PIERHEAD

Welsh Ind. &
Maritime Mus.

**Cardiff
Bays**

Adventurer's
Quay

TYNESIDE

STREET

ROATH

DOCK

ROAD

ROAD

COMPASS

ROAD

Fletcher's
Wharf

ROVER

Oil Storage
Terminal

LONGSHIPS

ROAD

PLACE

FORESHORE ROAD

BUTE ST.

Pier Head

BRITANNIA

HARBOUR

Crickhowell House
(Welsh National Assembly)

**ROATH
DOCK**

Waterfront
Park

Cardiff Bay
Visitors Cen.

CF10

FRIGATE

ROAD

Empire Wharf

QUEENS

ROAD

Warehouses

Works

2

Graving
Docks

**INNER
HARBOUR**

Norwegian
Church

Dry
Dock

LOCKS

SOUTH

King's Wharf

Timber
Depot

74

Entrance Channel

ROAD

CARGO

Transit
Sheds

**QUEEN
ALEXANDRA
DOCK**

SOUTH

LOCKS

ROAD

LONGSHIPS

**CARDIFF
FLATS**

3

ROAD

QUEENS

Customs
Waterguard

Channel
Oil Works

4

BARRAGE
(Under Construction)

MOUTH OF THE SEVERN

73

Weir

Cefn-y-wrach

5

Locks

Breakwaters

6

Penarth Head

72

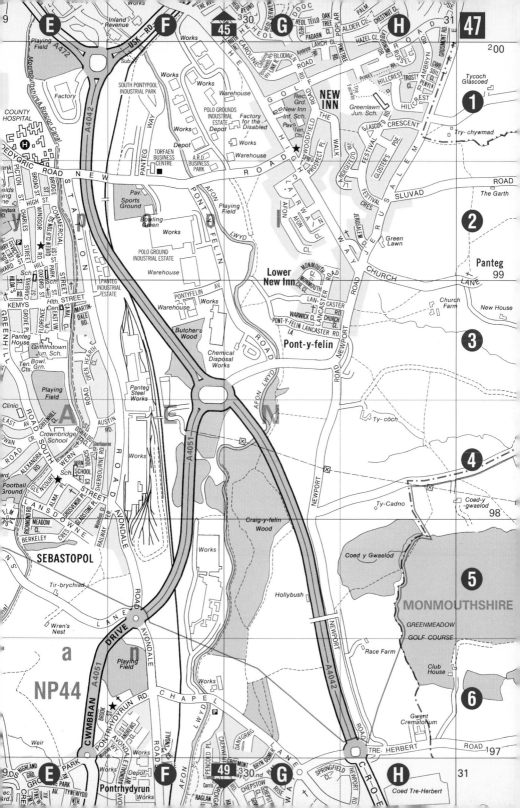

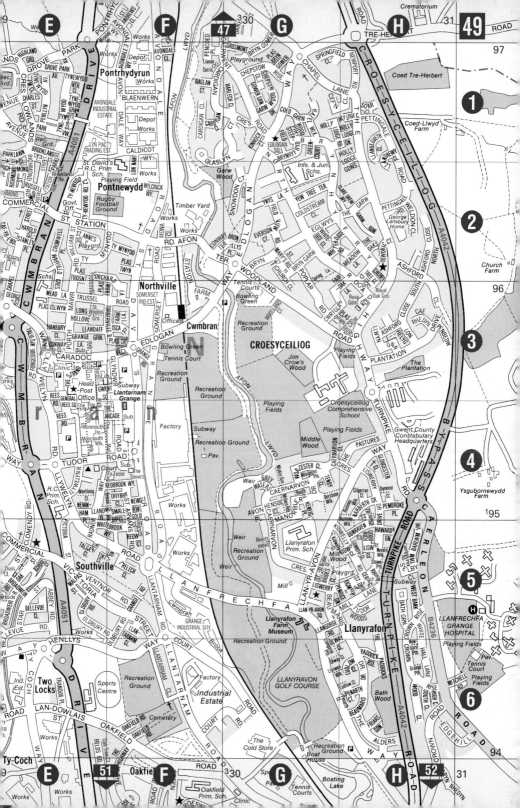

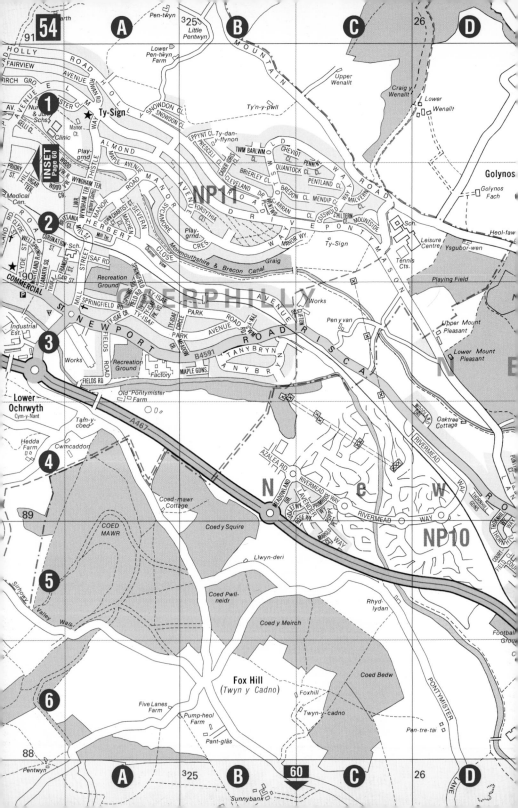

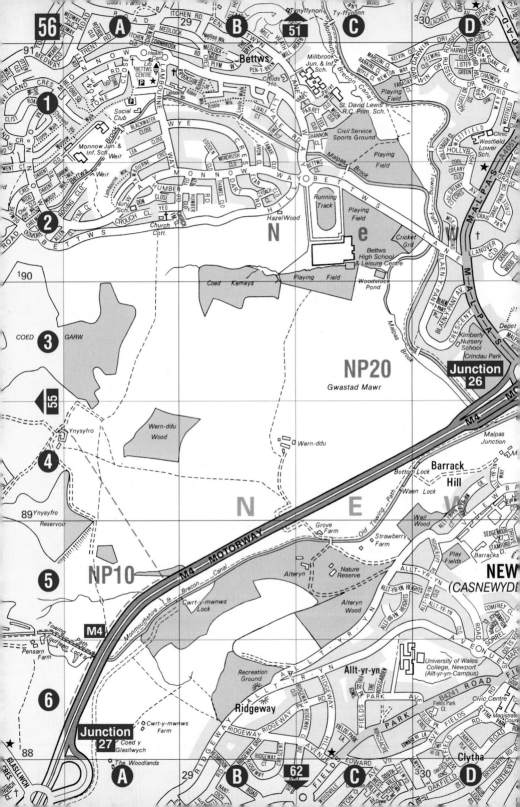

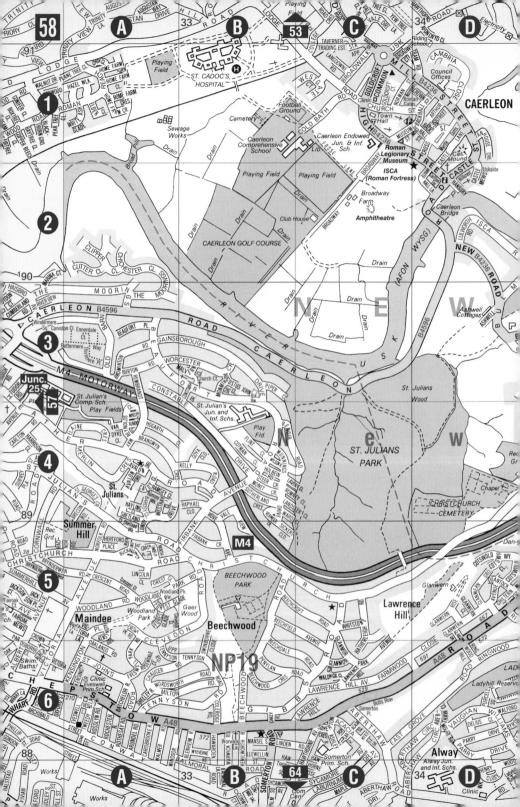

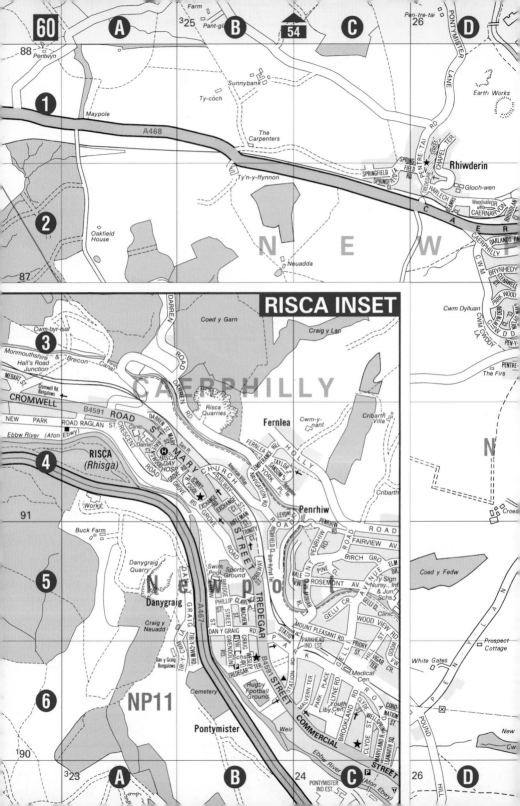

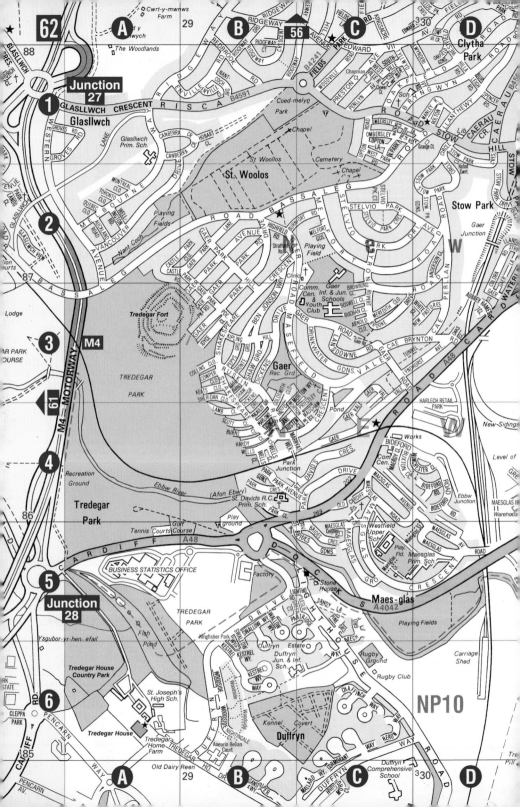

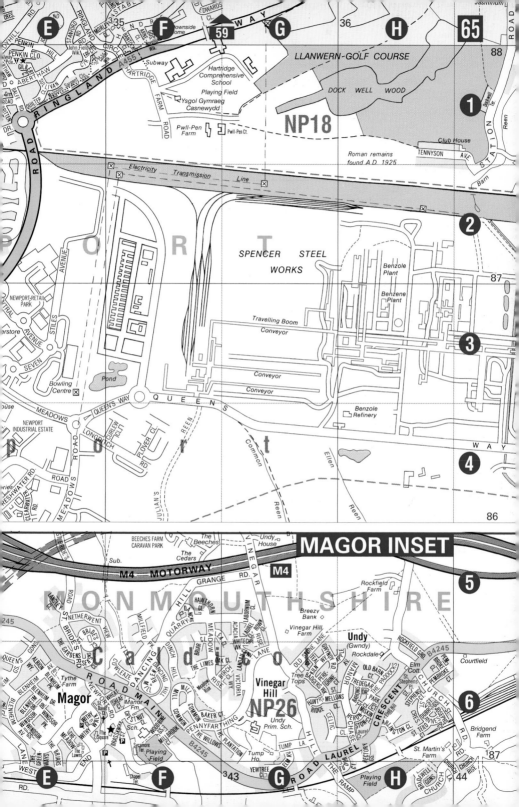

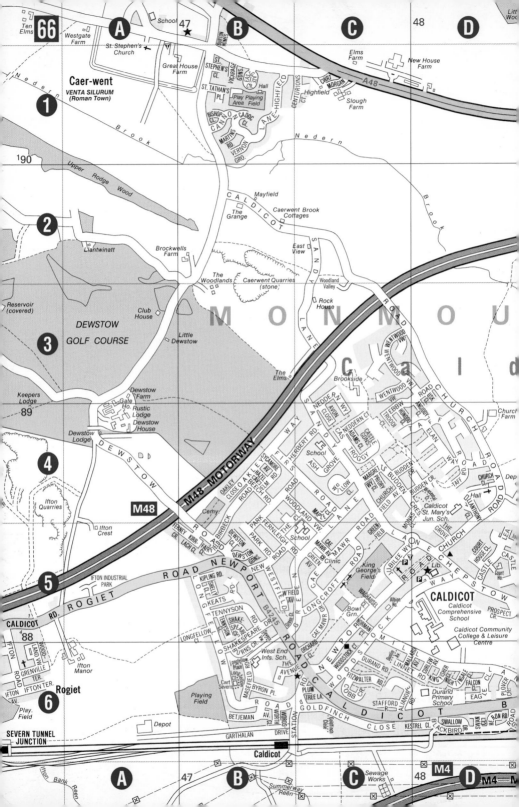

INDEX TO PLACES & AREAS
with their map square reference

NOTES

1. Names in this Index shown in CAPITAL LETTERS followed by their Postcode District(s), are Postal Addresses.
2. The places & areas index reference indicates the approximate centre of the town or place and not where the name occurs on the map.

INDEX TO STREETS

HOW TO USE THIS INDEX

1. Each street name is followed by its Posttown or Postal Locality and then by its map reference; e.g. Abbey Rd. *C'brn* —5E **49** is in the Cwmbran Postal Locality and is to be found in square 5E on page **49**. The page number being shown in bold type.
   A strict alphabetical order is followed in which Av., Rd., St., etc. (though abbreviated) are read in full and as part of the street name; e.g. Aber St. appears after Aberporth Rd. but before Aberteifi Clo.

2. Streets and a selection of Subsidiary names not shown on the Maps, appear in the index in *Italics* with the thoroughfare to which it is connected shown in brackets; e.g. *Alma Clo. Newp* —2F **63** (off Alma St.)

GENERAL ABBREVIATIONS

All : Alley	Chu : Church	Est : Estate	Mnr : Manor	Rd : Road
App : Approach	Chyd : Churchyard	Gdns : Gardens	Mans : Mansions	S : South
Arc : Arcade	Circ : Circle	Ga : Gate	Mkt : Market	Sq : Square
Av : Avenue	Cir : Circus	Gt : Great	M : Mews	Sta : Station
Bk : Back	Clo : Close	Grn : Green	Mt : Mount	St : Street
Boulevd : Boulevard	Comn : Common	Gro : Grove	N : North	Ter : Terrace
Bri : Bridge	Cotts : Cottages	Ho : House	Pal : Palace	Trad : Trading
B'way : Broadway	Ct : Court	Ind : Industrial	Pde : Parade	Up : Upper
Bldgs : Buildings	Cres : Crescent	Junct : Junction	Pk : Park	Vs : Villas
Bus : Business	Dri : Drive	La : Lane	Pas : Passage	Wlk : Walk
Cvn : Caravan	E : East	Lit : Little	Pl : Place	W : West
Cen : Centre	Embkmt : Embankment	Lwr : Lower	Quad : Quadrant	Yd : Yard

POSTTOWN AND POSTAL LOCALITY ABBREVIATIONS

Abers : Abersychan
Avon E : Avondale Ind. Est.
Bane : Baneswell
Barry : Barry
Bass : Bassaleg
B'ly : Beachley
B'ws : Bedwas
Bet : Bettws
B'avn : Blaenavon
Bul : Bulwark
C'In : Caerleon
Caer : Caerphilly
C'wnt : Caerwent
Cald : Caldicot
Can : Canton
Cap L : Capel Llanilltern
Card : Cardiff
Cas : Castleton
Cat : Cathays
Chep : Chepstow
C'chu : Christchurch
Chu V : Church Village
Coed : Coedcae
C Eva : Coed Eva
Coedk : Coedkernew
Coedp : Coedpenmaen
Cog : Cogan
C'iog : Croesyceiliog
Cro K : Cross Keys
C'brn : Cwmbran
C'flds : Cwmfields
Cyn : Cyncoed
Din P : Dinas Powys

Docks : Docks
Duf : Duffryn
E Isaf : Efail Isaf
Ely : Ely
Ener : Energlyn
Fair : Fairwater (Cardiff)
F'wtr : Fairwater (Newport)
Gab : Gabalfa
Garn : Garndiffaith
G'tff : Glyntaff
Graig : Graig
G'wen : Graigwen
G'twn : Grangetown
G'mdw : Greenmeadow
Grif : Griffithstown
Groes : Groeswen
Gwae G : Gwaelod-y-Garth
Haw : Hawthorn
H'lys : Henllys
H'bsh : Hollybush
Hop : Hopkinstown
Lav : Lavernock
Leck : Leckwith
Lee I : Leeway Ind. Est.
L'vne : Lisvane
Lis : Liswerry
L'dff : Llandaff
Llan N : Llandaff North
L'dgh : Llandough
L'dyrn : Llanedeyrn
Llanf : Llanfrechfa
L'stne : Langstone
L'shn : Llanishen

L'rmy : Llanrumney
Llant : Llantarnam
Llan I : Llantarnam Ind. Pk.
L'wrn : Llanwern
Llan : Llanyravon
Lwr C : Lower Cwm
Mac : Machen
M'gls : Maesglas
M'coed : Maesycoed
Magor : Magor
Main : Maindy
M'fld : Marshfield
Math : Mathern
Morg : Morganstown
N'grw : Nantgarw
Nash : Nash
New I : New Inn
Newp : Newport
N'clfe : Northcliffe
Oakf : Oakfield
Och : Ochrwyth
Old M : Old St. Mellons
P'wen : Pantygraigwen
P'rth : Penarth
P'wyn : Pentwyn
Pent C : Pentwyn Crumlin
P'rch : Pentyrch
P'cae : Penycoedcae
P'garn : Penygarn
P'lan : Penylan
Penyr : Penyrheol
Pet W : Peterstone Wentlooge
P'hir : Ponthir

Pnwd : Pontnewydd
P'nydd : Pontnewynydd
Pontp : Pontprennau
P'run : Pontrhydyrun
P'mle : Pontymoile
P'pool : Pontypool
P'prdd : Pontypridd
Pskwt : Portskewett
Pwllg : Pwllgwaun
Pwllm : Pwllmeyric
Pwlly : Pwllypant
Q Mead : Queensway
Meadows Ind. Est.
Rad : Radyr
Reev I : Reevesland Ind. Est.
Rhiw : Rhiwbina
R'drn : Rhiwderin
Rho : Rhoose
R'fln : Rhydyfelin
Ris : Risca
Roa : Roath
Roger : Rogerstone
Rog : Rogiet
Rud : Rudry
Rum : Rumney
St Am : St Andrews Major
St Bse : St Brides-super-Ely
St Bw : St Brides Wentlooge
St D : St Dials
St F : St Fagans
St Gse : St George's-super-Ely
St Ju : St Julians

St Me : St Mellons
Seb : Sebastopol
Sed : Sedbury
Sen : Senghenydd
Spl : Splott
Sud : Sudbrook
Sul : Sully
S'bri : Swanbridge
Taf W : Taffs Well
Thorn : Thornhill
Tong : Tongwynlais
Tont : Tonteg
Tral : Trallwng
Tra : Tranch
Tref : Treforest
Tref I : Treforest Ind. Est.
Trem : Tremorfa
Tret : Trethomas
Trev : Trevethin
Tut : Tutshill
Two L : Two Locks
Twyn O : Twyn-yr-Odyn
T Can : Ty Canol
T Coc : Ty Coch
Undy : Undy
Up B : Upper Boat
Up Cwm : Upper Cwmbran
Up R : Upper Race
Wain : Wainfelin
Wen : Wenvoe
W End : West End
Whit : Whitchurch

INDEX TO STREETS

Abbey Clo. *Taf W* —2F **11**
Abbey Ct. *Chu V* —4A **6**
Abbey Farm La. *Llant* —2A **52**
Abbey Grn. *Oakf* —1G **51**
Abbey Rd. *C'brn* —5E **49**
Abbey Rd. *Newp* —5E **59**
Aberbran Rd. *Card* —5E **21**
Abercynon St. *Card* —1C **34**
Aberdare Rd. *Rum* —2B **24**
Aberdore Rd. *Card* —2C **38**
Aberdovey Clo. *Din P* —2C **38**
Aberdovey St. *Card* —4E **31**
Aberdulais Cres. *Card*
—5D **20**
Aberdulais Rd. *Card* —5D **20**
Abergele Clo. *Rum* —1C **24**
Abergele Rd. *Rum* —2B **24**
Abermethy Clo. *St Me* —6E **17**
Aberporth Rd. *Card* —4D **20**
Aber St. *Card* —1C **34**
Aberteifi Clo. *Card* —5E **21**
Aberteifi Cres. *Card* —5E **21**
Aberthaw Av. *Newp* —1E **65**
Aberthaw Circ. *Newp* —1C **64**

Aberthaw Clo. *Newp* —6D **58**
Aberthaw Dri. *Newp* —1C **64**
Aberthaw Rd. *Card* —4G **27**
Aberthaw Rd. *Newp* —6C **58**
Aberystwyth Cres. *Barry*
—3E **41**
Aberystwyth St. *Card* —4E **31**
Abingdon St. *Barry* —6D **36**
Abotts M. *Newp* —2E **63**
Acacia Av. *Newp* —6C **58**
Acacia Av. *Undy* —5G **65**
Acacia Sq. *Newp* —6C **58**
Acacia St. *P'prdd* —6G **5**
Ace Ind. Est. *Card* —2A **34**
Acorn Gro. *Card* —4G **15**
Adams Ct. *Card* —4C **30**
Adams Ct. *P'prdd* —5H **5**
Adamscroft Pl. *Card* —4C **30**
Adamsdown La. *Card* —4C **30**
(in two parts)
Adamsdown Pl. *Card* —4D **30**
Adamsdown Sq. *Card* —4C **30**
Adam St. *Card* —4B **30**
Addison Cres. *Card* —4G **27**

Adelaide Pl. *Card* —1D **34**
Adelaide St. *Card* —1D **34**
Adelaide St. *Newp* —4F **57**
Adeline St. *Card* —3D **30**
Adit Wlk. *Pnwd* —2C **48**
(in two parts)
Adrian Boult Grn. *Newp*
—1D **64**
Adventurer's Quay. *Card*
—1F **35**
Ael-y-Bryn. *Caer* —2B **8**
Ael-y-Bryn. *L'dyrn* —3D **22**
Ael-y-Bryn. *P'rch* —5A **10**
Aelybryn. *P'prdd* —1A **4**
Ael-y-Bryn. *Rad* —6F **11**
Ael-y-Bryn. *Tret* —1H **9**
Aeron Clo. *Barry* —2D **40**
Afan Clo. *Barry* —2D **40**
Afon Clo. *New I* —6H **45**
Afon Clo. *St Me* —2B **16**
Afon Llwyd Ter. *P'nydd*
—2A **44**
Afon Llwyd Clo. *C'In* —6H **53**

Afon Ter. *Pnwd* —2F **49**
Africa Gdns. *Card* —5G **21**
Agate St. *Card* —3D **30**
Agincourt Rd. *Card* —1D **30**
Agincourt St. *Newp* —4E **57**
Agnes St. *P'rth* —6A **34**
Ailesbury St. *Newp* —4F **57**
Ainon Ct. *Card* —4E **31**
Aintree Dri. *Card* —4B **28**
Alanbrooke Av. *Newp* —5H **51**
Alan Clo. *Roger* —1G **61**
Albany Ct. *P'rth* —1H **39**
Albany Rd. *Card* —1B **30**
Albany St. *Newp* —4F **57**
Albany Trad. Est. *Newp*
—4F **57**
Alberta Pl. *P'rth* —3G **39**
Alberta Rd. *P'rth* —3H **39**
Albert Av. *Newp* —6H **57**
Albert Ct. *Newp* —6H **57**
Albert Cres. *P'rth* —1H **39**
Albert Rd. *P'rth* —1H **39**
Albert Rd. *P'prdd* —3B **4**
Albert St. *Barry* —1B **42**

Albert St. *Can* —4F **29**
(in two parts)
Albert St. *Newp* —2F **63**
Albert St. La. *Card* —4F **29**
Albert Ter. *Newp* —1E **63**
Albert Wlk. *Card* —4F **29**
Albion Ct. *Newp* —3F **63**
Albion Ho. *Cald* —5C **66**
Albion Pl. *P'nydd* —3A **44**
Albion Rd. *P'pool* —6B **44**
Albion Sq. *Chep* —2E **69**
Albion St. *Newp* —3F **63**
Albion Way. *Magor* —6E **65**
Alcock Clo. *Newp* —2B **64**
Alderbrook. *Cyn* —4D **14**
Alder Clo. *New I* —6H **45**
Alder Gro. *Newp* —1E **57**
Alderney St. *Newp* —4F **57**
Alder Rd. *Card* —5B **22**
Alders, The. *Llan* —6H **45**
Alderwood Clo. *St Me* —6C **16**
Aldsworth Rd. *Card* —2B **28**
Aldwych Clo. *Thorn* —3G **13**
Alexander Ct. *Caer* —4F **9**

A-Z Cardiff 71

Beda Rd.—Bronte Cres.

Beda Rd. Card —4E 29
Bedavere Clo. Thorn —3G 13
Beddick. G'mdw —4A 48
Bedford Clo. G'mdw —4A 48
Bedford Pl. Card —2C 30
Bedford Rd. Newp —6G 57
Bedford St. Card —2B 30
Bedlington Ter. Barry —2D 40
Bedwas Cen. B'ws —1H 9
Bedwas Clo. St Me —6E 17
Bedwas Ho. Ind. Est. B'ws (in two parts) —1F 9
Bedwas Pl. P'rth —1F 39
Bedwas Rd. Caer & B'ws (in three parts) —4E 9
Bedwas St. Card —6G 29
Beecham St. Newp —6E 59
Beech Clo. Caer —6A 8
Beech Clo. Pnwd —1D 48
Beech Ct. Tong —3H 11
Beechcroft Rd. Newp —5B 58
Beechdale Rd. Newp —6B 58
Beecher Av. Card —2B 34
Beeches Rd. Trev —1A 44
Beeches, The. C'brn —5D 48
Beechfield Av. Newp —5B 58
Beechgrove. Caer —2F 9
Beech Gro. Chep —3D 68
Beech Gro. St Bw —5C 62
Beech Ho. Whit —6A 12
Beechleigh Clo. G'mdw —4A 48
Beechley Dri. Card —6F 19
Beech Rd. Cald —4B 66
Beech Rd. Card —1F 27
Beech Rd. Seb —4D 46
Beech Tree Clo. Rad —1E 19
Beech Vs. P'prdd —2B 4
Beechwood Cres. Newp —6B 58
Beechwood Dri. P'rth —3E 39
Beechwood Rd. Newp —6B 58
Beechwood Rd. Taf W —1F 11
Beechwood St. P'prdd —6H 5
Beechwood Wlk. Trev —1B 44
Began Rd. Old M —2B 16
Beili Bach. Rum —4G 23
Belgrave Clo. Thorn —2G 13
Belgrave Ct. P'yndd —2A 44
Belgrave Ter. P'prdd —1E 5
Belle View Ct. P'yndd —2A 44 (off George St.)
Belle View Ter. Barry —6E 37
Bellevue Clo. C'brn —5E 49
Belle Vue Clo. P'rth —6D 34
Belle Vue Clo. Trev —2A 44
Belle Vue Cres. Card —4B 20
Belle Vue La. Newp —2E 63
Bellevue Rd. C'brn —5E 49
Belle Vue Ter. P'rth —6D 34
Belle Vue Ter. P'prdd —4E 5
Bellin Clo. C'ln —6F 53
Bell St. Barry —3C 40
Belmont Hill. C'ln —3D 58
Belmont St. Barry —1G 41
Belmont Wlk. Card —1D 34
Belvedere Cres. Barry —2F 41
Belvedere Ter. Newp —4E 57
Belvedere Ter. Ris —4B 60
Benbow Rd. Newp —4F 59
Bendrick Rd. Barry —3A 42
Ben Jonson Way. Newp —3B 62
Bennetts Ter. Caer —3F 9
Benson Av. Roger —6G 55 (in two parts)
Bentley Clo. Roger —4F 55
Beresford Ct. Card —1E 31
Beresford Rd. Card —2E 31
Beresford Rd. Newp —6G 57
Beresford Rd. La. Card —2E 31
Berkeley Ct. Thorn —2B 48
Berkeley Cres. Seb —5E 47
Berkley Clo. Bass —2E 61
Berkley Dri. P'rth —2H 39
Berkley Rd. Bass —2E 61
Bernard Av. Can —3C 28
Berrymead Rd. Card —6B 14
Berry Pl. Card —5H 19
Bertha St. P'prdd —6E 5
Berthin. G'mdw —4B 48
Berthlwyd. P'rch —4A 10
Berthwin St. Card —2F 29
Bertram St. Card —2E 31
Berw Rd. P'prdd —1C 4
Beryl Pl. Barry —2F 41
Beryl Rd. Barry —2F 41
Bessborough Dri. Card —6G 29
Bessemer Clo. CF1 —1G 33
Bessemer Clo. Newp —5G 51
Bessemer Rd. Card —1H 33
Bethania Row. St Me —1B 24
Bethel La. Up Cwm —1B 48
Bethel Pl. Card —4F 13
Bethel St. P'prdd —3B 4
Bethesda Clo. Roger —5F 55
Bethesda Pl. Roger —5E 55
Betjeman Av. Cald —6B 66
Bettws Clo. Bet —1C 56
Bettws Hill. Bet —2H 55
Bettws La. Bet —2C 56
Bettws-y-Coed Rd. Card —6B 14
Beulah Rd. Card —6E 13
Bevan Rise. Tret —1H 9
Bevan's La. P'run —5D 46
Beverley Clo. L'shn —4A 14
Beverley St. Barry —6D 36
Bicester Rd. Sul —1C 42
Bideford Rd. L'rmy —2A 24
Bideford Rd. Newp —4C 62
Bighams Row. Up R —1B 46
Bigstone Clo. Tut —1G 69
Bigstone Gro. Tut —1G 69
Bilston St. Newp —1A 64
Birbeck Rd. Cald —5B 66
Birch Clo. Undy —6G 65
Birch Ct. Tong —3H 11
Birches, The. Pnwd —2C 48
Birchfield Clo. Tont —4B 6
Birchfield Cres. Card —2B 28
Birch Gro. Barry —5C 40
Birch Gro. Caer —2F 9
Birch Gro. Chu V —4A 6
Birchgrove. Graig —3C 4
Birch Gro. H'lys —1B 50
Birch Gro. Ris —5C 60
Birchgrove. Roger —5E 55
Birchgrove Clo. Newp —1E 57
Birchgrove Rd. Card —3F 21
Birch Hill. Newp —6A 52
Birch Hill. Tong —4G 11
Birch La. P'rth —4G 39
Birchley. Tref —5D 4
Birch Rd. Card —1H 27
Birchtrees. Bass —3G 61
Birch Wlk. Card —1H 27
Birchwood Av. P'prdd —6E 5
Birchwood Gdns. Card —4E 21
Birchwood La. Card —4C 22
Birchwood Rd. Card —4B 22
Birdsfield Cotts. P'prdd —3B 4
Birdwood Gdns. Math —6C 68
Birkdale Clo. St Me —5E 17
Bishop Hannon Dri. Card —6F 19
Bishops Av. Card —1B 28
Bishops Clo. Bul —6F 69
Bishops Clo. L'dff —1B 28
Bishops Clo. Whit —3C 20
Bishops Ct. Card —3C 20
Bishops Pl. L'dff —1B 28
Bishops Pl. Whit —3C 20
Bishops Rd. Card —3C 20
Bishopston Rd. Card —5H 27
Bishop St. Card —6G 29
Bishop St. Newp —5G 57
Bishops Wlk. Card —1B 28
Bishpool Est. Newp —5E 59
Bishpool La. Newp —5E 59
Bishton St. Newp —6H 57
Bisley Clo. Card —2H 31
Bittern Way. P'rth —5G 39
Black Bird Clo. Roger —2H 61
Blackbird Rd. Cald —6D 66
Blackbirds Clo. Llant —4H 51
Blackbirds Way. St Me —5B 16
Black Bri. La. P'yndd —2A 44
Blackett Av. Newp —6H 51
Blackmoor Pl. L'rmy —1A 24
Black Oak Ct. Card —4C 14
Black Oak Rd. Card —5C 14
Black Rd. P'prdd —6B 4
Black Rock Rd. Pskwt —5H 67
Blackstone St. Card —4G 29
Blackthorn Gro. C'ln —1H 57
Blackwater Clo. Bet —1A 56
Blackweir Ter. Card —1H 29
Blackwell Clo. Barry —1H 41
Blaenavon Clo. St Me —6E 17
Blaenclydach Pl. Card —6H 29
Blaenclydach St. Card —6H 29
Blaendare Rd. P'pool —1B 46
Blaenwern. Avon E —1F 49
Blaen-y-Coed. Rad —1E 19
Blaen-y-Coed. Rhiw —5E 13
Blaen-y-Cwm View. H'lys —1A 50
Blaen-y-Pant Av. Newp —3D 56
Blaen-y-Pant Cres. Newp —2D 56
Blaen-y-Pant Pl. Newp —3D 56
Blagdon Clo. L'rmy —2H 23
Blaina Clo. St Me —6D 16
Blaise Pl. Card —1A 34
Blake Ct. Card —5C 30 (off Schooner Way)
Blake Rd. Newp —2C 64
Blanche St. Card —2E 31
Blanche St. P'prdd —1C 4
Blandings Ct. Card —1C 22
Blandon Way. Card —3C 20
Blanthorn Ct. Whit —1B 20
Blenheim Av. Magor —6E 65
Blenheim Clo. Barry —2A 36
Blenheim Clo. Magor —6E 65
Blenheim Ct. St D —5C 48
Blenheim Dri. Magor —6E 65
Blenheim Gdns. Magor —6E 65
Blenheim Pk. Magor —6E 65
Blenheim Rd. Card —1C 30
Blenheim Rd. Newp —6B 58
Blenheim Rd. St D —5C 48
Blenheim Sq. St D —5C 48
Bleriot Clo. Newp —2B 64
Blethin Clo. Card —4A 20
Blewitt St. Newp —1E 63
Blodwen Rd. New I —1G 47
Blodwen Way. New I —1G 47 (off Caroline Rd.)
Bloomfield Clo. Newp —5E 59
Bloom St. Card —2E 29
Blosse Rd. Card —5C 20
Blossom Clo. L'stne —3H 59
Blossom Dri. L'vne —1A 14
Bluebell Ct. T Can —5A 48 (in two parts)
Bluebell Dri. Bul —5F 69
Bluebell Dri. Card —5B 16
Bluehouse Rd. L'shn —4G 13
Blyth Clo. Barry —4C 36
Boddington Ter. C'ln —1D 58 (off Bk. Hall St.)
Bodnant Clo. St Me —1D 24
Boleyn Wlk. Card —5C 22
Bolt Clo. Newp —2G 63
Bolton Rd. Newp —1D 62
Bolts Row. Newp —6C 58
Bolt St. Newp —2G 63
Boncath Rd. Card —5C 20
Bond St. Newp —5F 57
Bonvilston Ho. Barry —5C 36
Bonvilston Rd. P'prdd —1D 4
Bonvilston Ter. Tral —1D 4
Booker St. Card —2E 31
Boon Clo. Barry —6C 36
Borough Av. Barry —1B 36
Borrowdale Clo. Card —5C 22
Borth Rd. Rum —2B 24
Boswell Clo. L'rmy —5H 15
Boswell Clo. Newp —3C 62
Bosworth Dri. Newp —4D 56
Boulevard de Nantes. Card —3A 30
Boverton St. Card —6B 22
Bowen Pl. Newp —2F 63 (off Francis Dri.)
Bowleaze. G'mdw —4B 48
Bowls Clo. Caer —2A 8
Bowls La. Caer —1A 8
Bowls Ter. Caer —2B 8
Boxtree Clo. C'ln —1H 57
Boyle Clo. Newp —1C 56
Brachdy Clo. Rum —5H 23
Brachdy La. Rum —5H 23
Brachdy Rd. Rum —5H 23
Bracken Pl. Card —6H 19
Bradenham Pl. P'rth —1G 39
Brades, The. C'ln —6G 53
Bradford Pl. P'rth —1H 39
Bradford St. Caer —5D 8
Bradford St. Card —1B 34
Bradley St. Card —2E 31
Braeval St. Card —1B 30
Brain Clo. Newp —5H 59
Bramble Clo. Card —6F 19
Bramble Rise. P'rth —6A 34
Bramblewood Clo. Thorn —3H 13
Brambling Dri. Thorn —2G 13
Bramshill Dri. Card —4H 15
Brandreth Rd. Card —4B 22
Brangwyn Av. Llant —1G 51
Brangwyn Clo. P'rth —6B 34
Brangwyn Cres. Newp —4A 58
Branksome Ho. Card —4H 29
Branwen Clo. Card —6E 27
Brassknocker St. Magor —6F 65
Braunton Av. L'rmy —1A 24
Braunton Cres. L'rmy —1H 23
Brayford Pl. L'rmy —5A 16
Breaksea Clo. Sul —3F 43
Breaksea Ct. Barry —5F 41
Breaksea Dri. Barry —5F 41
Brean Clo. Sul —2G 43
Brechfa Clo. P'hir —2D 52
Brecon Ct. Barry —1G 41
Brecon Ct. C'ln —6E 53
Brecon Ho. P'rth —3F 39
Brecon Rd. Newp —4A 58
Brecon St. Card —3E 29
Brecon Wlk. C'brn —4F 49
Brecon Way. Tont —3A 6
Bredon Clo. Ris —2B 54
Brendon Clo. L'rmy —1A 24
Brenig Clo. Barry —1C 40
Brenig Clo. Thorn —2H 13
Brentwood Ct. L'shn —4H 13
Breon Rd. Sul —1C 42
Brewery Ter. B'ws —1G 9
Brianne Dri. Thorn —2H 13
Briar Clo. Card —1G 27
Briar Clo. Undy —6F 65
Briarmeadow Dri. Thorn —2G 13
Briars, The. Undy —6E 65
Briar Way. Tont —4B 6
Briarwood Dri. Card —6C 14
Brickyard Units, The. Card —5F 21
Bridewell Gdns. Undy —6H 65
Bridgeman Ct. P'rth —2H 39
Bridgeman Rd. P'rth —2H 39
Bridge Rd. L'dff & LLan N —5B 20
Bridge Rd. P'prdd —3E 7
Bridge Rd. St Me —2H 15
Bridge St. Barry —6D 36
Bridge St. Card —4B 30
Bridge St. Chep —1E 69
Bridge St. Grif —2E 47
Bridge St. L'dff —6C 20
Bridge St. Newp —6E 57
Bridge St. P'rth —6B 34
Bridge St. P'prdd —2C 4 (in two parts)
Bridge St. Ris —5B 60
Bridge St. Tref —4E 5
Bridget Dri. Sed —3G 69
Bridgewater Rd. Sul —1F 43
Bridgwater Rd. L'rmy —1B 24
Brierley Clo. Ris —2B 54
Brigantine Pl. Card —5B 30
Brigham Ct. Caer —3A 8
Brignon Clo. Card —5D 30
Brindley Rd. Card —2H 33
Bristol St. Newp —5G 57
Bristol View Clo. Thorn —3A 48
Britannia Quay. Card —1E 35
Brithdir St. Card —6H 21
British Legion Dri. Card —3H 23
Briton Clo. Bul —6G 69
Brittania Clo. Ris —2A 54
Britten Clo. Newp —1E 65
Britten Rd. P'rth —4F 39
Britway Ct. Din P —2A 38
Britway Rd. Din P —2H 37
Broadacres. Card —4E 29
Broadcommon Clo. Newp —2D 64
Broad Ct. Barry —2B 40
Broadhaven. Card —5E 29
Broadlands Ct. St Me —6C 16
Broadlands Ho. St Me —6C 16
Broadmead Pk. Newp —2D 64
Broad Pl. Card —4E 29
Broad Quay Rd. Newp —5H 63
Broadstairs Rd. Card —4E 29
Broad St. Barry —4D 40
Broad St. Card —4D 28
Broad St. Grif —2E 47
Broad St. Newp —3G 63
Broadstreet Comn. Pet W —4F 25
Broad St. Pde. Barry —4D 40
Broad View. Pnwd —2C 48
Broadwalk. C'ln —1C 58
Broadwater Rd. Lee I —4D 64
Broadway. C'ln —2C 58
Broadway. Card —2D 30
Broadway. M'fld —4H 17
Broadway. P'pool —4B 44
Broadway. P'prdd —3C 4
Broadweir Rd. C'brn —5E 49
Broadwell Clo. St Me —1D 24
Broadwell Ct. C'ln —1C 58
Broadwood Clo. Newp —6F 59
Bro Athol. Rum —3B 24
Brocastle Rd. Card —1D 20
Brockhampton Rd. St Me —1D 24
Brockhill Rise. P'rth —5G 39
Brockhill Way. P'rth —5G 39
Brock St. Barry —6D 36
Brodeg. P'rch —5A 10
Bromfield Pl. P'rth —6D 34
Bromfield Rd. Barry —5E 41
Bromfield St. Card —1B 34
Bromley Dri. Card —4A 28
Bromsgrove St. Card —1B 34
Bron Awelon. Barry —4B 40
Bron Felen. Thorn —3F 13
Bron Haul. P'rch —5A 10
Bronllwyn. P'rch —5A 10
Bronllys Pl. C'iog —2G 49
Bronrhiw Av. Caer —6E 9
Bronrhiw Fach. Caer —6E 9
Bronte Clo. L'rmy —5A 16
Bronte Cres. L'rmy —5A 16

Bronte Gro.—Capitol, The

Bronte Gro. *Newp* —3B **62**
Bronwydd Av. *Card* —5C **22**
Bronwydd Clo. *Card* —5C **22**
Bronwydd Rd. *Card* —1G **31**
Bron-y-Mor. *Barry* —6C **40**
Brookdale Ct. *Chu V* —5A **6**
Brookfield Av. *Barry* —5E **37**
Brookfield Clo. *Newp* —2C **64**
Brookfield Dri. *St Me* —1C **24**
Brookfield La. *P'prdd* —1E **5**
Brookland Ho. *Pnwd* —2E **49**
Brookland Rd. *Ris* —6C **60**
Brooklands Ter. *Card* —6D **26**
Brookland Ter. *Pnwd* —1E **49**
Brooklea. *C'ln* —5F **53**
Brooklea Pk. *L'vne* —3A **14**
Brooklyn Clo. *Card* —4C **12**
Brook Rd. *Fair* —2B **28**
Brook Rd. *Whit* —3D **20**
Brookside. *Bet* —1B **56**
Brookside. *Din P* —1B **38**
Brookside. *St D* —5C **48**
Brookside. *Tont* —4B **6**
Brookside Clo. *Caer* —3A **8**
Brookside Clo. *Card* —2F **21**
Brookside Cres. *Caer* —4F **9**
Brook St. *Barry* —2G **41**
Brook St. *Card* —4H **29**
Brook St. *P'run* —6E **47**
Brook St. *P'prdd* —5E **5**
Brook St. La. *Card* —4H **29**
Brook Ter. *Chu V* —4A **6**
Brookvale Dri. *Thorn* —2G **13**
Brookview Clo. *Thorn* —3H **13**
Brookway. *Tont* —4B **6**
Broome Path. *St D* —5C **48**
Broomfield Clo. *Tont* —4B **6**
Broomfield St. *Caer* —5E **9**
Broom Pl. *Card* —1H **27**
Broughton Pl. *Barry* —5C **36**
Brown Clo. *Newp* —2B **64**
Browning Clo. *L'rmy* —6H **15**
Browning Clo. *Newp* —3C **62**
Bro-y-Fan. *Caer* —2F **9**
Bruce Knight Clo. *Card* —5A **20**
Bruce St. *Card* —6A **22**
Brundall Cres. *Card* —6E **27**
Brunel Av. *Roger* —5G **55**
Brunel Clo. *Barry* —5F **37**
Brunel Rd. *Bul* —4E **69**
Brunel Rd. *F'wtr* —5A **48**
Brunel St. *Card* —4G **29**
Brunel St. *Newp* —4G **63**
(in three parts)
Brunswick St. *Card* —3E **29**
Bruton Pl. *Card* —6C **20**
Bryanston Rd. *Sul* —1C **42**
Brydges Pl. *Card* —1A **30**
Bryn Adar. *Card* —5B **12**
Brynau Rd. *Caer* —4E **9**
Brynau Rd. *Taf W* —1F **11**
Bryn Awel. *B'ws* —1H **9**
Brynawel. *Caer* —1A **8**
Bryn-Awelon Rd. *Card* —5C **14**
Bryn Bach. *Card* —5D **12**
Brynbala Way. *Rum* —2C **24**
Bryn Bevan. *Newp* —2E **57**
Bryn Canol. *B'ws* —1H **9**
Bryn Castell. *Rad* —6F **11**
Bryn Celyn. *Card* —6F **15**
Bryncelyn Pl. *Pnwd* —2D **48**
Bryn Celyn Rd. *Card* —1F **23**
Bryn Celyn Rd. *Pnwd* —2C **48**
Bryn Clo. *Tret* —1H **9**
Bryncoch. *Taf W* —1E **11**
Bryncoed. *Rad* —1E **19**
Bryncyn. *Card* —5F **15**
Bryn Derwen. *Rad V* —1E **19**
Brynderwen Clo. *Card* —3C **22**
Brynderwen Ct. *Newp* —5H **57**
Brynderwen Gro. *Newp* —5H **57**
Brynderwen Rd. *Newp* —5H **57**
Bryn Dolwen. *B'ws* —1H **9**
Bryn Eglwys. *C'iog* —2G **49**
Brynfab Rd. *P'prdd* —1C **6**
Brynfedw. *B'ws* —1H **9**
Brynfedw. *L'dyrn* —2E **23**
Bryn Garw. *C'iog* —2G **49**
Bryn Glas. *B'ws* —1H **9**
(in two parts)
Brynglas. *Caer* —2B **8**
Brynglas. *H'bsh* —1D **50**
Bryn Glas. *Thorn* —3F **13**
Brynglas Av. *Newp* —2F **57**
Brynglas Clo. *Newp* —2E **57**
Brynglas Ct. *Newp* —2E **57**
Brynglas Cres. *Newp* —3E **57**
Brynglas Dri. *Newp* —2E **57**
Brynglas Rd. *Newp* —4E **57**
Bryn Goleu. *B'ws* —1H **9**
Bryn Golwg. *Rad* —6F **11**
Bryn Gomer. *C'iog* —1G **49**
Bryngwyn. *Caer* —6C **8**
Bryn-Gwyn Rd. *Card* —6C **14**
Bryngwyn Rd. *Newp* —1D **62**
Bryngwyn Rd. *P'pool* —5B **44**
Bryn-Gwyn St. *B'ws* —1G **9**
Bryn Haidd. *Card* —6F **15**
Brynhedydd. *Bass* —2D **60**
Bryn Heol. *B'ws* —1H **9**
Bryn Heulog. *Caer* —2B **8**
Bryn Heulog. *Grif* —1D **46**
Brynheulog. *P'wyn* —6F **15**
Bryn Heulog. *Whit* —2B **20**
Brynhill. *Card* —1C **22**
Brynhill Clo. *Barry* —1B **36**
Brynhyfryd. *Caer* —2B **8**
Brynhyfryd. *C'iog* —1G **49**
Bryn Hyfryd. *Rad* —6F **11**
Brynhyfryd Av. *Newp* —1E **63**
Brynhyfryd Ind. Est. *Caer* —3C **8**
Brynhyfryd Pl. *Tref* —4D **4**
Brynhyfryd Rd. *Newp* —1D **62**
Brynhyfryd Ter. *P'prdd* —2B **4**
Bryn-Hyfryd Ter. *Ris* —5B **60**
Bryn Ifor. *Caer* —2A **8**
Bryn Ilan. *G'tff* —3F **5**
Brynmawr Clo. *St Me* —6E **17**
Bryn Milwr. *H'bsh* —1D **50**
Bryn Nant. *Caer* —1A **8**
Bryn Olwg. *P'prdd* —1E **5**
Brynonnen Ct. *H'lys* —1A **50**
Bryn Owain. *Caer* —1B **8**
Bryn Pinwydden. *Card* —5E **15**
Bryn-Rhedyn. *Caer* —3G **9**
Bryn Rhedyn. *Llanf* —1A **52**
Bryn Rhedyn. *Tont* —3A **6**
Bryn Rhosyn. *Rad* —6E **11**
Bryn Siriol. *Caer* —2A **8**
Bryn Siriol. *P'rch* —5A **10**
Bryn Teg. *Caer* —2B **8**
Brynteg. *Card* —4C **12**
Brynteg Clo. *Card* —3C **22**
Bryn Ter. *P'nydd* —3A **44**
Bryn, The. *Bet* —1B **56**
Bryn, The. *Tret* —1H **9**
Bryntirion. *B'ws* —1H **9**
Bryn Tirion. *Caer* —2B **8**
Bryn-y-Nant. *L'dyrn* —2F **23**
Bryn-yr-Eglwys. *P'rch* —5A **10**
Bryn-yr-Ysgol. *Caer* —1A **8**
Brython Dri. *St Me* —6E **17**
Buchan Clo. *Newp* —3C **62**
Buckingham Clo. *L'vne* —3B **14**
Buckingham Cres. *Newp* —5A **58**
Buckingham Pl. *Barry* —1A **36**
Buckingham Pl. *Newp* —5A **58**
Buckley Clo. *Card* —4H **19**
Budden Cres. *Cald* —4C **66**
Bull Cliff Wlk. *Barry* —5A **40**
Bulmore Rd. *C'ln* —3D **58**
Bulrush Clo. *St Me* —1F **25**
Bulwark Av. *Bul* —4F **69**
Bulwark Ind. Est. *Bul* —4F **69**
Bulwark Rd. *Bul* —3E **69**
(in two parts)
Bunyan Clo. *L'rmy* —5B **16**
Burges Pl. *Card* —6G **29**
Burleigh Rd. *Newp* —1D **62**
Burlington St. *Barry* —2H **41**
Burlington Ter. *Card* —2D **28**
Burnaby St. *Card* —3E **31**
Burne Jones Clo. *Card* —5A **20**
Burnfort Rd. *Newp* —2B **62**
Burnham Av. *L'rmy* —6A **16**
Burnham Av. *Sul* —3F **43**
Burnham Ct. *L'rmy* —1A **24**
Burns Clo. *Newp* —4B **62**
Burns Cres. *Barry* —5B **36**
Burns Cres. *Cald* —6B **66**
Burnside Ct. *Card* —1F **27**
Burns La. *St D* —5D **48**
Burn's Way. *P'cae* —6B **4**
Burnt Barn Rd. *Bul* —5E **69**
Burton Homes. *C'wnt* —1B **66**
Burton Homes. *Newp* —2E **63**
Burton Rd. *Newp* —3A **58**
Burt St. *Card* —2D **34**
Burwell Clo. *Card* —4H **15**
Bushey Pk. *Wain* —4A **44**
Bush La. *B'avn* —5B **44**
Bute Cres. *Card* —1E **35**
Bute Esplanade. *Card* —2D **34**
Bute La. *P'rth* —1G **39**
Bute Pl. *Card* —1E **35**
Bute St. *Card* —5B **30**
Bute St. *Tong* —4G **11**
Bute Ter. *Card* —4B **30**
Butetown Link. *Card* —3C **34**
Butleigh Av. *Card* —2C **28**
Buttercup Ct. *T Can* —6A **48**
(in two parts)
Butterfield Dri. *Card* —4E **15**
Buttermere Way. *Newp* —3A **58**
Butterworth Clo. *Newp* —6F **59**
Buttington Hill. *Sed* —3H **69**
Buttington Rd. *Sed* —3G **69**
Butt Lee Ct. *Barry* —2E **41**
Buttrills Clo. *Barry* —2E **41**
Buttrills Rd. *Barry* —1E **41**
Buttrills Wlk. *Barry* —1E **41**
Buxton Clo. *Newp* —4C **62**
Buxton Ct. *Caer* —4F **9**
Bwlch Rd. *Card* —2H **27**
Byrd Cres. *P'rth* —4E **39**
Byrde Clo. *Newp* —6D **58**
Byron Ct. *P'rth* —6B **34**
Byron Pl. *Cald* —6B **66**
Byron Pl. *P'rth* —1F **39**
Byron Pl. *St D* —5D **48**
Byron Rd. *Newp* —2C **62**
Byron St. *Barry* —2F **41**
Byron St. *Card* —2C **30**
Bythway Rd. *Trev* —2B **44**
Byways. *G'mdw* —4B **48**

Caban Clo. *Roger* —4G **55**
Cader Idris Clo. *Ris* —2B **54**
Cadman Clo. *Card* —2G **31**
Cadnant Clo. *L'shn* —4F **13**
Cadoc Clo. *C'wnt* —1B **66**
Cadoc Cres. *Barry* —1B **42**
Cadoc Rd. *Pnwd* —1C **48**
Cadoc's Rise. *Barry* —5F **37**
Cadvan Rd. *Card* —3F **27**
Cadwgan Pl. *Card* —2A **28**
Caebach Clo. *Card* —6D **26**
Cae Bedw. *Caer* —1C **8**
Cae Brandi. *M'fld* —5H **17**
Cae Brynton Rd. *Newp* —3C **62**
Cae Calch. *Caer* —1B **8**
Cae Caradog. *Caer* —1A **8**
(in two parts)
Caedelyn Rd. *Card* —1C **20**
Cae Derwen. *Two L* —6D **48**
Cae Du Mawr. *Caer* —1B **8**
Cae Fardre. *Chu V* —4A **6**
Cae Ffynnon. *Ener* —1B **8**
Cae Garw. *Din P* —3A **38**
Cae Garw. *Thorn* —3F **13**
Cae Gethin. *Caer* —1B **8**
Cae Glas. *Barry* —6D **36**
Cae Glas. *Caer* —2B **8**
Cae-Glas Av. *Rum* —4H **23**
Cae-Glas Rd. *Rum* —4H **23**
Caegwyn Rd. *Card* —3E **21**
Cae Leon. *Barry* —4B **36**
Caelewis. *Tong* —4H **11**
Cae Llwyd. *Caer* —2E **9**
Cae Maen. *Card* —3F **21**
Cae Marchog. *Ener* —1C **8**
Cae Mawr Av. *Cald* —5C **66**
Cae Mawr Gro. *Cald* —5C **66**
Cae Mawr Rd. *Cald* —5C **66**
Cae Mawr Rd. *Card* —6E **13**
Cae Nant Rd. *Caer* —3D **8**
Caenewydd Clo. *Card* —6D **26**
Cae Pandy. *Caer* —2E **9**
Cae Pant. *Caer* —1C **8**
Cae Pen-y-Graig. *Caer* —1B **8**
Cae Perllan Rd. *Newp* —3D **62**
Caerau Ct. *Card* —5G **27**
Caerau Ct. Rd. *Card* —5G **27**
Caerau Cres. *Newp* —1D **62**
Caerau La. *Card* —6F **27**
Caerau Pk. Cres. *Card* —5G **27**
Caerau Pk. Pl. *Card* —5G **27**
Caerau Pk. Rd. *Card* —5G **27**
Caerau Rd. *Card* —5G **27**
Caerau Rd. *Newp* —1D **62**
Caerbragdy. *Caer* —3E **9**
Caer Cady Clo. *Card* —3C **22**
Caer Castell Pl. *Rum* —2A **24**
Cae'r Fferm. *Caer* —4B **8**
Caer Ffynnon. *Barry* —4C **40**
Caer Graig. *Rad* —6E **11**
Cae Rhedyn. *C'iog* —3H **49**
Cae Rhos. *Caer* —2E **9**
Caerleon Clo. *St Me* —6E **17**
Caerleon Ct. *Caer* —3A **8**
Caerleon Rd. *Card* —5F **21**
Caerleon Rd. *Din P* —2C **38**
Caerleon Rd. *Llanf* —5H **49**
Caerleon Rd. *Newp & P'hir* —5G **57**
Caerleon Rd. *P'hir* —3E **53**
Caerleon Way. *Bul* —5F **69**
Caernarvon Clo. *Din P* —2C **38**
Caernarvon Clo. *Llan* —4G **49**
Caernarvon Ct. *Caer* —3A **8**
Caernarvon Cres. *Llan* —4G **49**
Caernarvon Dri. *R'drn* —2D **60**
Caernarvon Gdns. *Barry* —5A **36**
Caernarvon Way. *Rum* —2B **24**
Cae'r Odyn. *Din P* —3A **38**
Caerphilly Bus. Pk. *Caer* —5G **9**
Caerphilly By-Pass. *Caer* —6A **8**
Caerphilly Clo. *Din P* —1C **38**
Caerphilly Clo. *R'drn* —2D **60**
Caerphilly Rd. *Bass* —2D **60**
Caerphilly Rd. *L'shn* —6F **13**
Caerphilly Rd. *N'grw* —6H **7**
Caerphilly Rd. *Sen* —6A **8**
Caer Wenallt. *Card* —5B **12**
Caerwent La. *Bul* —6F **69**
Caerwent Rd. *Card* —4E **27**
Caerwent Rd. *C'iog* —6F **47**
Caerwent Rd. *Trev* —2D **44**
Cae Samson. *Card* —5G **27**
Caesar Cres. *C'ln* —6F **53**
Cae Syr Dafydd. *Card* —2E **29**
Cae Tymawr. *Whit* —3A **20**
Caewal Rd. *Card* —1C **28**
Cae Yorath. *Card* —2D **20**
Cae-yr-Ebol. *Pnwd* —2E **49**
Cae Ysgubor. *Caer* —1B **8**
Caird St. *Chep* —3E **69**
Cairnmuir Rd. *Card* —2F **31**
Caldicot By-Pass. *Cald* —6C **66**
Caldicot Ct. *Caer* —3A **8**
Caldicot Rd. *Cald* —2B **66**
Caldicot Rd. *Card* —5H **27**
Caldicot Rd. *Pskwt* —5F **67**
Caldicot Rd. *Rog* —5A **66**
Caldicot St. *Newp* —1A **64**
Caldicot Way. *P'run* —1F **49**
Caldy Clo. *Barry* —6B **36**
Caldy Clo. *St Ju* —4A **58**
Caldy Rd. *Card* —4C **20**
Caledfryn Way. *Caer* —1A **8**
Callaghan Ct. *Card* —3E **31**
Camaes Cres. *Rum* —2C **24**
Cambourne Av. *Card* —2B **20**
Cambourne Clo. *Barry* —2A **36**
Cambria Clo. *C'ln* —1D **58**
Cambrian Cen. *Newp* —6E **57**
Cambrian Pl. *P'prdd* —4E **5**
Cambrian Retail Cen. Newp (off Queensway) —6E 57
Cambrian Rd. *Newp* —6E **57**
Cambria Rd. *Card* —6F **27**
Cambria St. *Grif* —3E **47**
Cambridge Ct. *C'ln* —6E **53**
Cambridge Rd. *Newp* —6G **57**
Cambridge St. *Barry* —4C **40**
Cambridge St. *Card* —1C **34**
Cam Ct. *Thorn* —2A **48**
Camellia Ct. *Card* —5H **19**
Camelot Ct. *C'ln* —1D **58**
Camelot Pl. *Newp* —5G **57**
Camelot Way. *Thorn* —3F **13**
Cameron St. *Card* —2E **31**
Camm's Corner. *Din P* —2B **38**
Campbell Dri. *Card* —3B **34**
Campbell St. *Wain* —4A **44**
Camperdown Rd. *Newp* —2B **64**
Campion Clo. *H'lys* —1B **50**
Campion Clo. *Newp* —5D **56**
Campion Pl. *Card* —5H **19**
Camp Rd. *Bul* —4F **69**
Camp Rd. *Sud* —6H **67**
Camrose Ct. *Barry* —5B **36**
Camrose Rd. *Card* —5H **27**
Camrose Wlk. *St D* —5C **48**
Canada Rd. *Card* —6G **21**
Canal Clo. *Grif* —3E **47**
Canal Cotts. *P'prdd* —1D **4**
Canal Pde. *Card* —5B **30**
Canal Pde. *Newp* —1F **63**
(in two parts)
Canal St. *Newp* —4E **57**
Canal Ter. *Newp* —2G **63**
Canaston Pl. *Card* —5H **27**
Canberra Clo. *G'mdw* —5D **48**
Canberra Cres. *Newp* —1A **62**
Candwr La. *P'hir* —1F **53**
Candwr Pk. *P'hir* —2E **53**
Candwr Rd. *P'hir* —3F **53**
Canford Clo. *Trev* —1B **44**
Cannington Av. *L'rmy* —2A **24**
Cannington Clo. *Sul* —2F **43**
Cannon La. *C'wnt* —1B **66**
Canon St. *Barry* —4D **40**
Canon St. *Newp* —5G **57**
Canopus Clo. *St Me* —1B **24**
Canterbury Clo. *Newp* —5F **57**
Canterbury Way. *Pskwt* —5G **67**
Canton Ct. *Card* —4F **29**
Cantref Clo. *Roger* —4F **55**
Cantref Clo. *Thorn* —2H **13**
Capel Clo. *Newp* —2F **63**
Capel Ct. *P'yndd* —2A **44**
Capel Cres. *Newp* —2E **63**
Capelgwilym Rd. *Card* —1E **13**
Capel St. *Newp* —3F **63**
Capel St. *P'pool* —5C **44**
Capitol Exchange. *Card* —3B **30**
Capitol, The. *Card* —3B **30**

74 A-Z Cardiff

Caple Rd.—Church Rd.

Caple Rd. Barry —4C 40
Caradoc Av. Barry —6B 36
Caradoc Clo. C'ln —6F 53
Caradoc Clo. St Me —6E 17
Caradoc Rd. C'brn —3E 49
Caraway Clo. St Me —5E 17
Cardiff Bay Retail Pk. Card —3B 34
Cardiff Bus. Pk. L'shn —6H 13
Cardiff Cen. Trad. Est. Card —5B 30
Cardiff Ga. Bus. Pk. Card —3H 15
Cardiff Ga. Retail Pk. Card —4H 15
Cardiff Rd. Barry —1A 42
Cardiff Rd. Caer —5E 9
Cardiff Rd. Din P —5A 38
Cardiff Rd. L'dff —6C 20
Cardiff Rd. M'gls —6H 61
Cardiff Rd. N'grw —6G 7
Cardiff Rd. R'fln & Up B —5E 5
Cardiff Rd. St F —2E 27
Cardiff Rd. Taf W & Glan L —1D 10
Cardiff Rd. Bus. Pk. Barry —1A 42
Cardiff Workshops. Card —4D 30
Cardigan Clo. C'iog —1F 49
Cardigan Clo. Din P —2C 38
Cardigan Clo. Tont —4A 6
Cardigan Ct. C'ln —6E 53
Cardigan Cres. C'iog —1F 49
Cardigan Ho. P'rth —2F 39
Cardigan Pl. Newp —5A 58
Cardigan Rd. Din P —2C 38
Cardigan St. Card —3E 29
Cardinal Dri. L'vne —1A 14
Carew Clo. Barry —6B 36
Carey Rd. Newp —6B 58
Cargo Rd. Docks —4E 35
Carisbrooke Rd. Newp —6A 58
Carisbrooke Way. Cyn —4C 22
Carlisle St. Card —3E 31
Carlisle St. Newp —3G 63
Carlton Clo. Thorn —2G 13
Carlton Ct. P'yndd —2A 44 (off George St.)
Carlton Rd. Newp —4H 57
Carlton Ter. C'ln —2D 58
Carmarthen Clo. Barry —6B 36
Carmarthen Ct. Caer —3A 8
Carmarthen Ct. Card —3F 29
Carmarthen Dri. Tont —3A 6
Carmarthen Ho. P'rth —3F 39
Carmarthen Rd. Din P —2C 38
Carmarthen St. Card —3E 29
Carnegie Dri. Card —2B 22
Caroline Rd. New I —1G 47
Caroline St. Card —4A 30
Caroline St. Newp —1F 63
Caroline Way. New I —1G 47 (off Caroline Rd.)
Carpenters Arms La. Newp —6F 57
Ca'r Pwll. Din P —3A 38
Carter Pl. Card —6H 19
Carterstown Pill. NP6 —6E 67
Cartref Melys. Newp —2B 64
Cartwright Ct. Card —6B 22
Cartwright Grn. Newp —1D 56
Cartwright La. Card —2H 27
Carys Clo. Card —6E 27
Carys Clo. P'rth —3E 39
Caspian Clo. St Me —1D 24
Castell Coch View. Tong —4G 11
Castell-Meredydd. Caer —2F 9
Castell Morgraig. Caer —2F 9
Castell-y-Fan. Caer —2F 9
Castle Arc. Card —4A 30
Castle Arc. Balcony. Card —4A 30
Castle Av. Caer —2D 8
Castle Av. P'rth —4F 39
Castle Av. Rum —5F 23
Castle Clo. Din P —2C 38
Castle Clo. Roger —1G 61 (in three parts)
Castle Ct. Chu V —4A 6
Castle Ct. H'lys —1A 50
Castle Cres. Rum —5G 23
Castle Dri. Din P —2C 38
Castlefield Pl. Card —5G 21
Castleford Hill. Tut —1E 69
Castle Gdns. Cald —4C 66
Castle Gdns. Chep —1D 68
Castle Grn. St Gse —3A 26
Castle Hill. St F —2D 26
Castle Ivor St. Hop —2A 4
Castleland St. Barry —2G 41
Castle La. C'ln —1D 58
Castle La. Card —2C 30
Castle Lea. Cald —5D 66
Castle Lodge Clo. Cald —5E 67
Castle Lodge Cres. Cald —5E 67
Castle M. C'ln —2D 58
Castle M. Card —3H 29
Castle Pk. Clo. Newp —2A 62
Castle Pk. Rd. Newp —2A 62
Castle Rise. Rum —5G 23
Castle Rd. Tong —3G 11
Castle St. Barry —3C 40
Castle St. C'ln —2D 58
Castle St. Caer —4E 9
Castle St. Card —4H 29
Castle St. Newp —3G 63
Castle St. P'prdd —4E 5
Castle St. Taf W —2E 11
Castleton Ct. Rum —5G 17
Castleton Rise. Cas —2G 17
Castle View. Caer —1C 8
Castle View. Tong —5H 11
Castle View. Tut —1G 69
Castle Way. Pskwt —5E 67
Castlewood Cotts. Din P —1A 38
Cas Troggy. Cald —4C 66
Caswell Rd. Rum —4H 23
Caswell Way. Reev I —4B 64
Catalpa Clo. Newp —6A 52
Cathays Ter. Card —6A 22
Cath Cob Clo. St Me —1C 24
Cathedral Clo. Card —6D 20
Cathedral Ct. Card —6C 20
Cathedral Ct. Newp —1E 63
Cathedral Grn., The. Card —6C 20
Cathedral Rd. Card —2F 29
Cathedral View. Card —5D 20
Cathedral Wlk. Card —3B 30
Catherine Dri. M'fld —5H 17
Catherine Dri. Tong —3H 11
Catherine Meazy Flats. P'rth —6D 34
Catherine St. Card —1A 30
Catkin Dri. P'rth —6A 34
Catsash Rd. L'stne —4E 59
Cavendish Clo. Thorn —3G 13
Cawley Pl. Barry —6D 36
Cawnpore St. P'rth —6A 34
Caxton Pl. Card —5G 15
Caxton Pl. Newp —6E 57
Caynham Av. P'rth —5G 39
Cecil La. Roger —1G 61
Cecil Sharp Rd. Newp —6G 59
Cecil St. Card —2D 30
Cedar Clo. Bul —5E 69
Cedar Cres. Tont —4B 6
Cedar Gro. Card —6G 19
Cedar Ho. Whit —1A 20
Cedar La. R'fln —6H 5
Cedar Rd. Newp —6G 57
Cedar Wlk. Up Cwm —2B 48
Cedar Way. P'rth —2E 39
Cefn Bychan. P'rch —4A 10
Cefn Carnau Rd. Card —1H 21
Cefn Clo. C'iog —1G 49
Cefn Clo. Roger —6G 55
Cefn Coch. Rad —6E 11
Cefn-Coed Av. Card —3B 22
Cefn-Coed Cres. Card —4C 22
Cefn-Coed Gdns. Card —4B 22
Cefn Coed La. Card —4B 22
Cefn-Coed Rd. Card —4B 22
Cefn Ct. Roger —6G 55
Cefn Dri. Roger —6G 55
Cefn Graig. Card —5D 12
Cefn Llan. P'rch —5A 10
Cefn Mably Rd. L'vne —2C 14
Cefn Milwr. H'bsh —1E 51
Cefn Mt. Din P —2A 38
Cefn Nant. Card —4D 12
Cefn Onn Meadows. L'vne —1H 13
Cefn Penuel. P'rch —5A 10
Cefn-Porth Rd. Card —1F 15
Cefn Rise. Roger —5F 55
Cefn Rd. Card —4E 21
Cefn Rd. Roger —5E 55
Cefn Wlk. Roger —6G 55
Cefn-y-Lon. Caer —1A 8
Ceiriog Clo. Barry —5C 36
Ceiriog Clo. P'rth —1F 39
Ceiriog Cres. P'prdd —5F 5
Ceiriog Dri. Caer —3D 8
Ceiriog Dri. Card —5C 12
Celandine Ct. Bul —5F 69
Celandine Ct. T Can —5A 48
Celerity Dri. Card —5B 30
Celtic Clo. Undy —6G 65
Celtic Gateway Bus. Pk. Card —4B 34
Celtic Grn. Din P —1B 38
Celtic Rd. Card —4F 21
Celyn Av. Caer —3D 8
Celyn Av. Card —2B 22
Celyn Ct. Pnwd —1C 48
Celynen Gro. M'gls —5C 62
Celyn Gro. Caer —3D 8
Celyn Gro. Card —6C 14
Cemetery La. Newp —1E 63
Cemetery Rd. Barry —1F 41
Cemetery Rd. P'prdd —4F 5
Cemetery Rd. Taf W —2F 11 (in two parts)
Cenfedd St. Newp —4G 57
Central Av. Newp —3E 65
Central Av. P'pool —2H 45
Central Dri. Trev —1B 44
Central Mkt. Card —4A 30
Central M. P'pool —5C 44
Central Sq. Card —5A 30
Central St. Pwlly —1C 8
Central Way. Pnwd —2C 48
Central Way. Sul —1C 42
Centurion Clo. Ely —6H 27
Centurions Ct. C'wnt —1C 66
Ceredig Ct. Llan —5H 49
Chadwick Clo. Newp —1D 56
Chaffinch Way. Duf —6C 62
Chamberlain Rd. Card —4B 20
Chamberlain Row. Din P —1C 38
Chancery La. Card —4F 29
Channel View. Bass —2E 61
Channel View. Bul —4E 69
Channel View. Cas —2F 17
Channel View. P'rth —4H 39
Channel View. P'garn —4D 44
Channel View. Pnwd —2C 48
Channel View Flats. Card —3B 34
Channel View Rd. Card —2B 34
Chantry Rise. P'rth —4G 39
Chantry, The. L'dff —6A 20
Chapel Clo. Din P —1C 38
Chapel Clo. Pwllm —5B 68
Chapel La. C'iog —6F 47
Chapel La. P'rth —6C 34
Chapel La. Pwllm —5B 68
Chapel Rd. Morg —5F 11
Chapel Rd. P'nydd —3A 44
Chapel Row. Din P —1C 38
Chapel Row. St Me —6B 16
Chapel Row. La. St Me —6B 16
Chapel St. Card —1D 28
Chapel St. Pnwd —3E 49
Chapel St. P'prdd —2C 4
Chapel St. Tref —6F 5
Chapel Ter. Magor —6F 65
Chapel Ter. R'drn —2D 60
Chapel Ter. Twyn O —4A 32
Chapel Wood. L'dyrn —3E 23
Chapman Clo. Newp —6H 51
Chapman Ct. Newp —1C 62
Chard Av. L'rmy —2H 23
Chard Ct. Rum —2H 23
Chargot Rd. Card —2D 28
Charles Darwin Way. Docks —4E 41
Charles Pl. Barry —5C 40
Charles St. Caer —4E 9
Charles St. Card —3B 30
Charles St. Grif —2E 47
Charles St. Newp —1F 63
Charles St. Pent C —1F 61
Charles St. Pnwd —1E 49
Charles St. P'prdd —2A 4
Charlesville. P'nydd —3A 44
Charlotte Grn. Newp —2F 63
Charlotte Pl. Barry —1H 41
Charlotte Sq. Card —6E 13
Charlotte St. Newp —2F 63
Charlotte St. P'rth —6B 34
Charlotte Wlk. Newp —2F 63 (off Alma St.)
Charnwood Dri. Card —4G 15
Charnwood Rd. Newp —3G 57
Charston. G'mdw —4B 48
Charter Av. Barry —1B 36
Charteris Clo. P'rth —5G 39
Charteris Cres. Card —3H 27
Charteris Rd. Card —3H 27
Chartist Ct. Ris —2A 54
Chartist Dri. Roger —6F 55
Chartists Way. Bul —5E 69
Chartley Clo. St Me —6E 17
Chartwell Ct. P'rch —4A 10
Chartwell Dri. L'vne —4A 14
Chatterton Sq. Card —3B 34
Chaucer Clo. L'rmy —5A 16
Chaucer Clo. P'rth —1F 39
Chaucer Rd. Barry —5B 36
Chaucer Rd. Newp —6A 58
Cheam Pl. L'shn —5G 13
Cheddar Cres. L'rmy —2H 23
Chelmer Clo. Bet —2H 55
Chelmer Wlk. Bet —2H 55
Chelston Pl. Newp —4E 57
Chepstow Clo. Card —5H 27
Chepstow Clo. C'iog —1G 49
Chepstow Ct. Caer —3A 8
Chepstow Rise. C'iog —1G 49
Chepstow Rd. Cald —5D 66
Chepstow Rd. Newp —6G 57
Cheriton Dri. Thorn —2H 13
Cheriton Gro. Tont —4C 6
Cheriton Path. F'wtr —5B 48
Cherry Clo. Card —6F 19
Cherry Clo. Din P —3C 38
Cherry Clo. P'rth —5G 39
Cherrydale Rd. Card —3A 28
Cherrydown Clo. Thorn —3H 13
Cherry Orchard Rd. L'vne —1G 13
Cherry Tree Clo. B'ws —1F 9
Cherrytree Clo. C'ln —6G 53
Cherry Tree Clo. C'iog —2H 49
Cherry Tree Clo. L'vne —2B 14
Cherry Tree Clo. Newp —6A 52
Cherrywood Clo. Thorn —2H 13
Chervil Clo. St Me —5E 17
Cherwell Clo. Card —6H 19
Cherwell Rd. P'rth —3F 39
Cherwell Wlk. Bet —1H 55
Cheshire Clo. L'shn —1H 21
Chester Clo. New I —6H 45
Chester Clo. St Me —1D 24
Chester Ct. Caer —2A 8
Chesterfield St. Barry —6C 36
Chester Pl. Card —6H 29
Chester St. Card —5H 29
Chesterton Rd. L'rmy —6H 15
Chestnut Clo. Din P —3B 38
Chestnut Clo. Magor —6F 65
Chestnut Clo. New I —6H 45
Chestnut Grn. Up Cwm —2B 48
Chestnut Gro. C'ln —1H 57
Chestnut Rd. Card —1H 27
Chestnut St. P'prdd —6G 5
Chestnut Tree Clo. Rad —1E 19
Chestnut Way. P'rth —2F 39
Cheviot Clo. L'shn —6G 13
Cheviot Clo. Ris —1B 54
Chichester Clo. Newp —2A 58
Chichester Rd. P'rth —6B 34
Chichester Way. Card —3A 28
Chilcote St. Barry —1H 41
Chiltern Clo. L'shn —6G 13
Chiltern Clo. Newp —5D 58
Chiltern Clo. Ris —2C 54
Chorley Clo. Card —2G 27
Christchurch Hill. C'chu —4E 59
Christchurch Rd. Newp —5H 57
Christina Cres. Roger —1H 61
Christina St. Card —6B 30
Chumleigh Clo. L'rmy —3G 23
Church Av. P'rth —1H 39
Church Av. Trev —2C 44
Church Clo. Cald —4D 66
Church Clo. C'iog —2G 49
Church Clo. L'vne —3C 14
Church Clo. New I —3G 47
Church Clo. Roger —1H 61
Church Clo. Trev —2C 44
Church Ct. Newp —3B 58
Church Cres. Bass —2F 61
Church Farm Clo. Bet —2B 56
Churchfield Av. Cald —4C 66
Churchfields. Barry —5D 36
Churchill Clo. L'vne —1A 14
Churchill Ter. Barry —1A 42
Churchill Way. Card —3B 30
Church La. L'rmy —6B 16
Church La. M'fld —4H 17
Church La. N'grw —6H 7
Church La. New I —2H 47
Church La. P'nydd —3B 44
Church La. Undy —6H 65
Churchmead. Bass —3G 61
Church Pl. N. P'rth —6D 34
Church Pl. S. P'rth —6D 34
Church Rise. Undy —6H 65
Church Rise. Wen —6B 32
Church Rd. Barry —6D 36
Church Rd. Cald —5D 66
Church Rd. Can —4F 29
Church Rd. Card —3B 20
Church Rd. Chep —1F 69
Church Rd. Ely —6G 27
Church Rd. Llanf —1C 52
Church Rd. L'vn —2C 14
Church Rd. Newp —5G 57
Church Rd. P'rth —1H 39
Church Rd. P'wyn —5G 15
Church Rd. P'rch —5A 10
Church Rd. Pnwd —2D 48
Church Rd. Ris —4B 60
Church Rd. Rum —4G 23
Church Rd. Tont —3A 6
Church Rd. Tral —1E 5
Church Rd. Undy —6H 65

A-Z Cardiff 75

Church Row—Commercial St.

Church Row. *Chep* —1F **69**
Church Row. *Sud* —6H **67**
Church St. *B'ws* —1H **9**
Church St. *C'ln* —1C **58**
Church St. *Card* —4A **30**
Church St. *Newp* —3G **63**
Church St. *P'prdd* —2C **4**
Church St. *Roger* —5E **55**
Church St. *Taf W* —2E **11**
Church Ter. *Barry* —6E **37**
Church Ter. *Card* —1D **30**
Church Ter. *P'nydd* —2A **44**
Church View. *Bass* —3G **61**
Churchward Dri. *Newp* —2C **64**
Churchwood Clo. *P'garn* —4C **44**
Church Wood Rd. *Pnwd* —2D **48**
Cidermill Clo. *Chep* —6F **69**
Cilfedw. *Rad* —6F **11**
Cilgerran Ct. *Llan* —4H **49**
Cilgerran Cres. *L'shn* —5F **13**
Circle, The. *C'brn* —6D **48**
Circle Way E. *L'dyrn* —4E **23**
Circle Way W. *Card* —3D **22**
City Hall Rd. *Card* —3A **30**
City Link. *Card* —1F **31**
City Rd. *Card* —1B **30**
Claerwen Dri. *Card* —2B **22**
Clairwain. *New I* —2G **47**
Clarbeston Rd. *Card* —5C **20**
Clare Drew Way. *C'iog* —2H **49**
Clare Gdns. *Card* —4H **29**
Claremont. *Newp* —5A **52**
Claremont Av. *Rum* —3H **23**
Claremont Cres. *Rum* —3H **23**
Clarence Corner. *P'yndd* —5C **44**
Clarence Embkmt. *Card* —2C **34**
Clarence Pl. *Card* —1D **34**
Clarence Pl. *Newp* —6F **57**
Clarence Pl. *P'pool* —6C **44**
Clarence Pl. *Ris* —5B **60**
Clarence Rd. *Card* —1C **34**
Clarence Rd. *P'pool* —6C **44**
Clarence St. *Newp* —3G **63**
Clarence St. *P'pool* —5C **44**
Clarendon. *Card* —1D **22**
Clarendon Clo. *Bul* —6G **69**
Clarendon Rd. *Cyn* —4D **22**
Clare Pl. *Card* —4H **29**
Clare Rd. *Card* —5H **29**
Clare St. *Card* —4H **29**
Clark Av. *Pnwd* —1D **48**
Clarke St. *Card* —3B **28**
Clas Dyfrig. *Card* —4D **20**
Clas Gabriel. *Card* —4D **20**
Clas Ifor. *Card* —2E **21**
Clas Illtyd. *Card* —3E **21**
Clas Isan. *Card* —3E **21**
Clas Odyn. *Card* —2D **20**
Clas Teilo. *Card* —4D **20**
Clas Ty'n-y-Cae. *Card* —1E **21**
Clas Tywern. *Card* —1E **21**
Clas Yorath. *Card* —2D **20**
Claude Pl. *Card* —1C **30**
Claude Rd. *Barry* —2D **40**
Claude Rd. *Caer* —5D **8**
Claude Rd. *Card* —1C **30**
Claude Rd. W. *Barry* —3C **40**
Claymore Pl. *Card* —3C **34**
Clayton St. *Newp* —5G **57**
Clearwater Rd. *Q Mead* —4E **65**
Clearwater Way. *Card* —2B **22**
Clearwell Ct. *Bass* —2D **60**
Cleddau Clo. *St Me* —6F **17**
Cledwen Clo. *Barry* —2B **40**
Clement Atlee Dri. *Newp* —5E **59**
Clement Pl. *Barry* —5C **40**
Cleppa Pk. *Duf* —6H **61**
Cleppa Pk. Ind. Est. *Duf* —6H **61**
Clevedon Av. *Sul* —3F **43**
Clevedon Clo. *Newp* —5A **58**
Clevedon Rd. *L'rmy* —1H **23**
Clevedon Rd. *Newp* —5A **58**
Cleve Dri. *L'shn* —6G **13**
Cleveland Dri. *Ris* —2B **54**
Clewer Ct. *Newp* —1C **62**
Clewer Ct. M. *Newp* —1C **62**
Cliff Ct. *Card* —1E **35**
Cliff Hill. *P'rth* —3H **39**
Cliff Pde. *P'rth* —3H **39**
Cliff Pl. *Card* —3D **28**
Cliff Rd. *P'rth* —3H **39**
Cliffside. *P'rth* —4H **39**
Cliff St. *P'rth* —6D **34**
Cliff Ter. *Tref* —3D **4**
Cliff View. *Sed* —3H **69**
Cliff Wlk. *P'rth* —6H **39**
Cliff Wood View. *Barry* —5A **40**
Clifton Pl. *Newp* —1E **63**
Clifton Rd. *Newp* —1E **63**
Clifton Sq. *Grif* —2E **47**
Clifton St. *Barry* —4D **40**
Clifton St. *Caer* —5E **9**
(in two parts)
Clifton St. *Card* —2D **30**
Clifton St. *Roger* —3C **54**
Clinton Rd. *P'rth* —2G **39**
Clipper Clo. *Newp* —2A **58**
Clipper Rd. *Docks* —1G **35**
Clist Rd. *Bet* —1H **55**
Clist Wlk. *Bet* —1H **55**
Clive Ct. *Card* —3D **28**
Clive Cres. *P'rth* —1H **39**
Clive La. *Card* —1B **34**
Clive La. *P'rth* —6B **34**
Clive M. *Can* —3D **28**
Clive Pl. *Barry* —5F **41**
Clive Pl. *Card* —2C **30**
Clive Pl. *P'rth* —1H **39**
Clive Rd. *Barry* —5E **41**
Clive Rd. *Card* —2D **28**
Clive St. *Caer* —5D **8**
Clive St. *Card* —6H **29**
Clodien Av. *Card* —5H **21**
Cloister Ct. *Card* —5A **28**
Clomendy Rd. *C'brn* —5E **49**
(Cwmbran)
Clomendy Rd. *C'brn* —3C **48**
(Forge Hammer)
Clos Alyn. *Card* —4F **15**
Clos Aneurin. *R'fln* —1C **6**
Clos Berriew. *Card* —4D **20**
Clos Bron Iestyn. *P'prdd* —2A **4**
Clos Brynderi. *Card* —6E **13**
Clos Bryn Melyn. *Rad* —1F **19**
Clos Caewal. *P'rch* —4A **10**
Clos Cae Wal. *Tong* —4G **11**
Clos Camlas. *Tral* —1D **4**
Clos Cas-Bach. *St Me* —1E **25**
Clos Cefn Bychan. *P'rch* —4B **10**
Clos Cefni. *Barry* —1C **40**
Clos Cemaes. *Card* —4D **20**
Clos Coed-y-Dafarn. *L'vne* —3B **14**
Clos Cornel. *Card* —3D **20**
Clos Corris. *Card* —4D **20**
Clos Cromwell. *Card* —4E **13**
Clos Culver. *Card* —6F **27**
Clos Cwm Creunant. *Card* —4F **15**
Clos Cwm Du. *Card* —4F **15**
Clos Cyncoed. *Caer* —1A **8**
Clos Dwyerw. *Caer* —6B **8**
Clos Dyfnaint. *St Me* —1E **25**
Clos Enfys. *Caer* —6B **8**
Close, The. *Cald* —5B **66**
Close, The. *L'shn* —5H **13**
Close, The. *Oakf* —1G **51**
Close, The. *Pskwt* —5F **67**
Clos Fach. *Card* —5E **13**
Clos Glanaber. *St Me* —1E **25**
Clos Glas Llwch. *St Me* —1D **24**
Clos Guto. *Caer* —3G **9**
Clos Gwastir. *Caer* —6B **8**
Clos Gwlad-yr-Haf. *St Me* —1E **25**
Clos Gwy. *Card* —4F **15**
Clos Hafodyrynys. *St Me* —2D **24**
Clos Hafren. *St Me* —1E **25**
Clos Hendre. *Card* —5F **13**
Clos Lindsay. *Card* —6E **27**
Clos Llanfair. *Wen* —6B **32**
Clos Mabon. *Card* —5D **12**
Clos Maerun. *St Me* —1D **24**
Clos Maes-y-Mor. *St Me* —1C **24**
Clos Mair. *Card* —4B **22**
Clos Manmoel. *St Me* —2D **24**
Clos Meifod. *Card* —4D **20**
Clos Melin Ddwr. *L'vne* —3A **14**
Clos Menter. *Card* —5F **21**
Clos Nant Coslech. *Card* —4E **15**
Clos Nant Ddu. *Card* —4F **15**
Clos Nant Glaswg. *Card* —4E **15**
Clos Nant Mwlan. *Card* —3F **15**
Clos Nant y Cor. *P'wyn* —4F **15**
Clos Nant y Cwm. *Card* —4F **15**
Clos Newydd. *Card* —3B **20**
Clos Pantycosyn. *St Me* —2D **24**
Clos Pen y Clawdd. *St Me* —1D **24**
Clos Rhiannon. *Thorn* —3F **13**
Clos Synod. *Card* —4D **20**
Clos Tawe. *Barry* —2C **40**
Clos Tecwyn. *Card* —4B **22**
Clos Ton Mawr. *Card* —4E **13**
Clos Tregare. *St Me* —1D **24**
Clos Treoda. *Card* —2D **20**
Clos Tyclyd. *Card* —3A **20**
Clos Tyla Bach. *St Me* —6E **17**
Clos Tynewydd. *Card* —3D **20**
Clos Tyrywen. *B'ws* —1G **9**
Clos William. *Card* —4E **13**
Clos William Price. *P'prdd* —3F **5**
Clos y Berllan. *St Me* —2E **25**
Clos y Betws. *St Me* —1D **24**
Clos-y-Blaidd. *Thorn* —2F **13**
Clos-y-Broch. *Thorn* —2G **13**
Clos-y-Cadno. *Thorn* —2F **13**
Clos-y-Carlwm. *Thorn* —1F **13**
Clos-y-Cedr. *Pwlly* —1D **8**
Clos-y-Ceinach. *Thorn* —2G **13**
Clos-y-Culfor. *St Me* —1D **24**
Clos-y-Cwarra. *Card* —4C **26**
Clos-y-Draenog. *Thorn* —2G **13**
Clos y Dryw. *Thorn* —2G **13**
Clos-y-Dyfrgi. *Thorn* —2F **13**
Clos-y-Ffynnon. *Card* —4F **15**
Clos y Fran. *Card* —1G **13**
Clos-y-Gof. *Card* —4D **26**
Clos-y-Gornant. *St Me* —1D **24**
Clos y Graig. *Card* —4D **12**
Clos-y-Gwadd. *Thorn* —2F **13**
Clos y Gwalch. *Card* —1G **13**
Clos y Gwyddfid. *Morg* —5E **11**
Clos-y-Nant. *Card* —1H **27**
Clos-y-Pant. *Caer* —6B **8**
Clos yr Aer. *Card* —5F **13**
Clos yr Alarch. *Card* —1G **13**
Clos yr Arad. *Caer* —6A **8**
Clos-yr-Ardd. *Card* —6D **12**
Clos-yr-Bryn. *Card* —4C **12**
Clos yr Eos. *Card* —1G **13**
Clos Yr Hafod. *Card* —5E **13**
Clos-y-Rhiw. *Card* —6F **27**
Clos-yr-Onnen. *St Me* —1E **25**
Clos Yr Wenallt. *Card* —4C **12**
Clos Ysbyty. *Caer* —6B **8**
Clos Ystum Taf. *Card* —3A **20**
Clos y Wern. *Card* —5E **13**
Clos-y-Wiwer. *Thorn* —2G **13**
Clovelly Cres. *L'rmy* —2G **23**
Clover Ct. *T Can* —6A **48**
Clover Gro. *Card* —6G **19**
Club Rd. *Tra* —5A **44**
Club Row. *Abers* —1A **44**
Clun Ter. *Card* —5A **22**
Clwyd. *N'clfe* —6E **35**
Clydach Clo. *Bet* —2B **56**
Clydach St. *Card* —6H **29**
Clydesmuir Ind. Est. *Card* —1F **31**
Clydesmuir Rd. *Card* —2F **31**
Clyde St. *Card* —4C **30**
Clyde St. *Ris* —6C **60**
Clyffard Cres. *Newp* —1D **62**
Clyffes. *G'mdw* —4B **48**
Clyro Pl. *Card* —4C **20**
Clytha Cres. *Newp* —2F **63**
Clytha Pk. Rd. *Newp* —6D **56**
Clytha Sq. *Newp* —2F **63**
Coal Pit La. *Cas* —1E **17**
Coaster Pl. *Card* —6F **31**
Coates Pl. *L'rmy* —6B **16**
Coates Rd. *P'rth* —4F **39**
Cobb Cres. *Cald* —6C **66**
Cobner Clo. *Trev* —2C **44**
Cobol Rd. *St Me* —5F **17**
Coburn St. *Card* —1B **30**
Cocker Av. *C'brn* —6D **48**
Coed Arhyd. *Card* —5C **26**
Coed Arian. *Card* —4D **20**
Coed Bach. *Barry* —2A **36**
Coed Cae. *Caer* —3F **9**
Coed Cae. *Pnwd* —2C **48**
Coedcae Pl. *P'pool* —5B **44**
Coedcae Rd. *B'avn* —5B **44**
Coedcae St. *Card* —6H **29**
Coedcae Ter. *P'pool* —5B **44**
Coed Ceirios. *Rhiw* —6D **12**
Coed Cochwyn Av. *L'shn* —4G **13**
Coed Edeyrn. *L'dyrn* —3D **22**
Coeden Dal. *Card* —5E **15**
Coedeva Mill. *C Eva* —6C **48**
Coed Garw. *C'iog* —1G **49**
Coed Gethin. *Caer* —1B **8**
Coed Glas. *Two L* —6D **48**
Coed Glas Rd. *L'shn* —5F **13**
Coed Isaf Rd. *P'prdd* —3A **4**
Coed Leddyn. *Caer* —1C **8**
Coed Lee. *C Eva* —6C **48**
(in two parts)
Coed Main. *Caer* —3G **9**
Coed Mawr. *Barry* —2A **36**
Coedpenmaen Clo. *P'prdd* —2D **4**
Coedpenmaen Rd. *P'prdd* —1D **4**
Coed Pwll. *Caer* —3F **9**
Coedriglan Dri. *Card* —5C **26**
Coed y Brenin. *M'coed* —3A **4**
Coed-y-Canddo Rd. *New I* —6F **45**
Coed y Capel. *Barry* —2A **36**
Coed-y-Dafarn. *L'vne* —3C **14**
Coed-y-Gloriau. *Card* —6D **14**
Coed-y-Goras. *Rum* —2E **23**
Coed-y-Gores. *L'dyrn* —1E **23**
Coedygric Rd. *Grif* —1E **47**
Coed-y-Llinos. *Caer* —4B **8**
Coed-y-Llyn. *Card* —3B **22**
Coed-y-Llyn. *Rad* —1E **19**
Coed y Pandy. *B'ws* —1G **9**
Coed-yr-Eos. *Caer* —4B **8**
Coed-yr-Odyn. *Barry* —4B **40**
Coed yr Ynn. *Card* —5E **13**
Coed-y-Wennol. *Caer* —5B **8**
Cogan Ct. *P'rth* —5A **34**
Cogan Pill Rd. *L'dgh* —4H **33**
(in two parts)
Cogan Spur. *P'rth* —5B **34**
Cogan Ter. *Card* —2A **30**
Coggins Clo. *Caer* —6A **8**
Cog Rd. *Sul* —1F **43**
Coigne Ter. *Barry* —2H **41**
Coity Clo. *St Me* —6E **17**
Colborne Wlk. *Card* —4F **29**
Colchester Av. *P'lan* —6D **22**
Colchester Factory Est. *P'lan* —6E **23**
Colcot Rd. *Barry* —1B **36**
Cold Bath Rd. *C'ln* —1C **58**
Coldbrook Rd. E. *Barry* —6E **37**
Coldbrook Rd. W. *Barry* —6D **36**
Cold Knap Way. *Barry* —6C **40**
Coldra Rd. *Newp* —2D **62**
Coldra, The. *Newp* —4F **59**
Coldra Woods Dri. *Newp* —3F **59**
Cold Store, The. *C'brn* —6G **49**
Coldstream Clo. *C'iog* —2G **49**
Coldstream Ter. *Card* —4H **29**
Cole Ct. *Caer* —3G **9**
Coleford Dri. *St Me* —1D **24**
Coleford Path. *St D* —4C **48**
Coleridge Av. *P'rth* —1F **39**
Coleridge Cres. *Barry* —5A **36**
Coleridge Grn. *St D* —5C **48**
Coleridge Rd. *Card* —2H **33**
Coleridge Rd. *Newp* —6B **58**
Colin Way. *Card* —3A **28**
Collard Cres. *Barry* —6B **36**
College Clo. *Whit* —3D **20**
College Cres. *C'ln* —1C **58**
College Fields Clo. *Barry* —2E **41**
College Glade. *C'ln* —5F **53**
College Pl. *Barry* —2E **41**
College Rd. *Barry* —2D **40**
(in three parts)
College Rd. *C'ln* —6G **53**
College Rd. *Card* —2H **29**
College Rd. *Llan N* —5C **20**
College Rd. *P'garn* —4C **44**
College Ter. *P'nydd* —2A **44**
Collier St. *Newp* —5G **57**
Collingdon Rd. *Card* —5B **30**
Collingwood Av. *Newp* —1C **64**
Collingwood Clo. *Bul* —6G **69**
Collingwood Clo. *Newp* —1B **64**
Collingwood Cres. *Newp* —1B **64**
Collingwood Rd. *Newp* —1B **64**
Collins Clo. *Newp* —3B **62**
Collins Ct. *Card* —1C **22**
Collins Ter. *P'prdd* —5E **5**
Collivaud Pl. *Card* —5D **30**
Colne St. *Newp* —6G **57**
Colston Av. *Newp* —2A **64**
Colston Ct. *Newp* —2B **64**
Colston Pl. *Newp* —2B **64**
Colts Foot Clo. *Newp* —6D **56**
Columbus Clo. *Barry* —5C **36**
Columbus Wlk. *Card* —5B **30**
Colum Dri. *Card* —1H **29**
Column St. *Sul* —1C **42**
Colum Pl. *Card* —1H **29**
Colum Rd. *Card* —1H **29**
Colum Ter. *Card* —2H **29**
Colwill Rd. *Card* —5D **20**
Colwinstone Clo. *Card* —4C **20**
Colwinstone St. *Card* —4C **20**
Colwyn Rd. *Rum* —3H **23**
Comet St. *Card* —3C **30**
Comfrey Clo. *Newp* —5D **56**
Comfrey Clo. *St Me* —5E **17**
Commercial Rd. *Barry* —1G **41**
Commercial Rd. *Newp* —2F **63**
Commercial St. *C'brn* —5E **49**
Commercial St. *Grif* —2E **47**
Commercial St. *Newp* —6F **57**
(in two parts)

Dart Rd.—Elworthy Clo.

Dart Rd. Bet —2B 56
Darwin Dri. Newp —1D 56
David Davies Rd. Barry —3H 41
David St. Barry —5E 37
David St. Card —4B 30
David Wlk. Roger —1G 61 (off Ebenezer Dri.)
Davies Dri. Caer —1C 8
Davies Pl. Card —2B 28
Davies Sq. Newp —2F 63 (off Coulson Clo.)
Davies St. Barry —1G 41
Daviot St. Card —6B 22
Davis Clo. P'pool —4B 44
Davis Ct. Chep —1E 69 (off Bridge St.)
Davis's Ter. Card —2D 20
Davis St. Card —4C 30
Davnic Clo. Barry —1H 41
Davy Clo. Newp —6H 51
Dawan Clo. Barry —2C 40
Dawson Clo. Newp —5G 59
Dean Ct. H'lys —1A 50
Deanery Gdns. Newp —1E 63
Deans Clo. Card —1D 28
Deans Gdns. Chep —1D 68
Deans Hill. Chep —2D 68
Dean St. Newp —5G 57
De-Barri St. R'fln —1A 6
De Braose Clo. Card —4H 19
De Burgh Pl. Card —4G 29
De Burgh St. Card —4G 29
De Croche Pl. Card —5G 29
Deemuir Rd. Card —2F 31
Deepdale Clo. Card —4B 22
Deepdene Clo. Card —4D 26
Deepfield Clo. Card —4D 26
Deepweir. Cald —6E 67
Deepweir Dri. Cald —6E 67
Deepweir Gdns. Cald —6E 67
Deepwood Clo. Card —4D 26
Deerbrook. G'mdw —5B 48
Deere Clo. Card —5F 27
Deere Pl. Card —5F 27
Deere Rd. Card —5E 27
Deganwy Clo. L'shn —4G 13
De Havilland Rd. Card —2G 31
Delius Clo. Newp —6D 58
Delius Clo. Roger —5F 55
Dell, The. St Me —5B 16
Dell, The. Tont —3A 6
Dell View. Chep —2E 69
Delta St. Card —3F 29
Denbigh Clo. Tont —3A 6
Denbigh Ct. Caer —3A 8
Denbigh Ct. P'rth —3F 39
Denbigh Dri. Bul —6F 69
Denbigh Rd. Din P —1C 38
Denbigh Rd. Newp —3H 57
Denbigh St. Card —2F 29
Denbigh Way. Barry —6B 36
Dene Ct. P'yndd —2A 44
Denison Way. Card —4D 26
Denmark Dri. Sed —3H 69
Dennison Dri. Card —1G 27
Denny View. Cald —6E 67
Den Roche Pl. Card —3B 30
Denton Rd. Card —4F 29
Dents Clo. Newp —6E 59
Dents Hill. Newp —6E 59
Denys Clo. Din P —1B 38
Derby Gro. Newp —3C 64
Deri Clo. Card —6E 23
Dering Rd. Card —4H 15
Deri Rd. Card —1D 30
Derwen Ct. Card —6C 14
Derwen Rd. Card —5C 14
Derwent Clo. Thorn —3G 13
Derwent Ct. Bet —2H 55
Despenser Gdns. Card —4H 29
Despenser Pl. Card —4H 29
Despenser Rd. Sul —2E 43
Despenser St. Card —4H 29
Dessmuir Rd. Card —2F 31
Devon Av. Barry —1F 41
Devon Ct. C'ln —6E 53
Devon Pl. Card —6G 29
Devon Pl. Newp —6E 57
Devon St. Card —6G 29
Dew Cres. Card —5A 28
Dewi Ct. Card —1C 28
Dewi St. P'prdd —1E 5
Dewsland Pk. Rd. Newp —1E 63
Dewstow Clo. Cald —5B 66
Dewstow Gdns. Cald —5B 66
Dewstow Rd. Cald —4A 66
Dewstow St. Newp —1A 64
Diamond Clo. Caer —3C 8
Diamond St. Card —3D 30
Diana La. Card —6B 22
Diana St. Card —6B 22
Dibdin Clo. Newp —6G 59
Dickens Av. L'rmy —6H 15
Dickens Dri. Newp —3B 62 (in two parts)
Digby Clo. Card —5A 20
Digby St. Barry —2G 41
Dinas Path. F'wtr —5B 48
Dinas Pl. Card —6H 29
Dinas Rd. P'rth —3E 39
Dinas St. Card —5H 29
Dinch Hill. Undy —6F 65
Dingle La. P'rth —1G 39
Dingle La. Pnwd —1C 48
Dingle Rd. C'flds —6D 44
Dingle Rd. P'rth —1G 39
Dingle, The. P'rth —2H 39
Ditchling Ct. P'rth —3G 39
Dobbins Rd. Barry —5F 37
Dochdwy Rd. L'dgh —5H 33
Dock Pk. Rd. Newp —3H 63
Dock Rd. Barry —5F 41
Dock St. P'rth —6B 34
Docks Way. Newp —5B 62
Dock View Rd. Barry —3F 41
Dockwell Ter. L'wrn —1H 65
Doddington Pl. P'prdd —1E 5
Dogfield St. Card —6A 22
Dogo St. Card —2F 29
Dol Fran. Caer —3G 9
Dolgellau Av. Tont —3A 6
Dolgoch Clo. Rum —2B 24
Dolphin St. Newp —2G 63 (in two parts)
Dolwen Rd. Card —5C 20
Dol-y-Felin St. Caer —4D 8
Dol-y-Paun. Caer —5B 8
Dol-yr-Eos. Caer —3F 9
Dombey Clo. Thorn —3H 13
Dominions Arc. Card —3A 30
Dominions Way. Card —1E 31
Dominions Way Ind. Est. Card —1E 31
Donald St. Card —6B 22
Don Clo. Bet —2A 56
Doniford Clo. Sul —1F 43
Donnington Rd. Sul —1C 42
Dorallt Clo. H'lys —1A 50
Dorallt Way. H'lys —1A 50
Dorchester Av. P'lan —5D 22
Dorleigh Ct. Thorn —2B 48
Dorothy Av. Barry —5A 36
Dorothy Clo. Barry —5A 36
Dorothy St. P'prdd —1D 4
Dorset Av. Barry —1F 41
Dorset Clo. Newp —3C 64
Dorset Cres. Newp —3C 64
Dorset St. Card —6G 29
Dorstone Wlk. Llan —4G 49
Dos Rd. Newp —4E 57
Douglas Clo. Card —5A 20
Dovedale Clo. Card —4B 22
Dovedale St. Barry —1H 41
Dovey Clo. Barry —1C 40
Dovey Clo. Rum —2B 24
Dowlais Rd. Card —5D 30
Dowland Clo. Newp —6F 59
Downfield Clo. L'dgh —5A 34
Downing St. Newp —2B 64
Downland Rd. P'rth —4E 39
Downlands Way. Rum —5G 23
Downs Ct. Barry —4C 36
Downton Rise. Rum —5H 23
Downton Rd. Rum —5H 23
Doyle Av. Card —1A 28
Doyle Ct. Card —1A 28
Drake Clo. Newp —5F 59
Drake Wlk. Card —5B 30
Drawlings Clo. St Me —5B 16
Drayton Ct. St D —4C 48 (off Blenheim Rd.)
Drinkwater Gdns. Newp —3C 62
Drive, The. Card —2H 27
Drive, The. Din P —2C 38
Drope Rd. St Gse —5C 26
Dros-y-Mor. P'rth —3H 39
Dros-y-Morfa. Rum —5A 24
Druidstone Rd. Old M —4C 16
Drury Clo. Thorn —3G 13
Drybrook Clo. C'brn —4F 49
Drybrook Clo. St Me —1D 24
Dryburgh Av. Card —2F 21
Dryden Clo. L'rmy —6H 15
Dryden Rd. P'rth —1F 39
Dryden Ter. Barry —5B 36
Drylla. Din P —3A 38
Drysgol Rd. Rad —1F 19
Dubricius Gdns. Undy —6H 65
Duckpool Rd. Newp —5H 57
Dudley Ct. Card —2D 34
Dudley Pl. Barry —3D 40
Dudley St. Card —2D 34
Dudley St. Newp —1H 63
Duffryn Av. Card —2B 22
Duffryn Bach Ter. Chu V —6A 6
Duffryn Clo. Bass —2F 61
Duffryn Clo. Card —1A 22
Duffryn Dri. Duf —6B 62
Duffryn Rd. Card —1C 22
Duffryn St. Card —4B 30
Duffryn Way. Duf —6C 62
Dugdale Wlk. Card —4F 29
Duke St. Card —4A 30
Duke St. Newp —2G 63
Duke St. P'prdd —5D 4
Duke St. Arc. Card —4A 30
Dulverton Av. L'rmy —6B 16
Dulverton Dri. Sul —2F 43
Dulwich Gdns. Card —2E 29
Dumballs Rd. Card —6A 30
Dumfries Pl. Card —3B 30
Dumfries Pl. Newp —1F 63
Dummer Clo. St Me —1D 24
Dunbar Clo. Card —4G 15
Duncan Clo. St Me —1B 24
Dunkery Clo. L'rmy —2H 23
Dunlin Av. Cald —6C 66
Dunlin Ct. Barry —3F 41
Dunn Sq. Newp —2F 63 (off Alma St.)
Dunraven Clo. Din P —2C 38
Dunraven Ct. Caer —3A 8
Dunraven Rd. Card —5F 29
Dunraven Rd. Llan —5H 49
Dunraven St. Barry —4C 40
Dunsmuir Rd. Card —3F 31
Dunstable Rd. Newp —6F 59
Dunster Dri. Sul —2E 43
Dunster Rd. L'rmy —1B 24
Dunvagon. M'fld —5H 17
Durand Rd. Cald —6C 66
Durham La. Newp —4G 57
Durham Rd. Newp —4G 57
Durham St. Card —6H 29
Durleigh Clo. L'rmy —6A 16
Durlston Clo. Card —4B 20
Duxford Clo. Card —5H 19
Dyfan Rd. Barry —1G 41
Dyfed. N'clfe —6E 35
Dyfed Dri. Caer —2C 8
Dyffryn Av. R'fln —5G 5
Dyffryn Cres. R'fln —5G 5
Dyffryn Gdns. R'fln —5G 5
Dyffryn Pl. Barry —2B 36
Dyffryn Rd. R'fln —6G 5
Dyfnallt Rd. Barry —5C 36
Dyfrig Clo. Card —3B 28
Dyfrig Rd. Card —3B 28
Dyfrig St. Barry —5G 41
Dyfrig St. Card —2G 29
Dylan Clo. L'dgh —5A 34
Dylan Cres. Barry —5D 36
Dylan Dri. Caer —2D 8
Dylan Pl. Card —2C 30
Dynea Clo. P'prdd —6H 5
Dynea Rd. R'fln —5H 5
Dynevor Clo. Llan —4H 49
Dynevor Rd. Cyn —4D 22
Dyserth Rd. P'rth —2F 39

Eagle Clo. Cald —6D 66
Earl Cres. Barry —5F 41
Earl Cunningham Ct. Card (off Schooner Way) —5C 30
Earle Pl. Card —4F 29
Earl La. Card —1B 34
Earl Rd. P'rth —2F 39
Earl's Ct. Pl. Rum —6D 22
Earl's Ct. Rd. P'lan —5D 22
Earlsmede. G'mdw —4B 48
Earl St. Card —2B 34
Earlswood Rd. L'shn —6G 13
East Av. B'ws —1H 9
East Av. Caer —3C 8
East Av. Grif —4E 47
E. Bank Rd. Newp —5H 63
E. Bay Clo. Card —4C 30
Eastbourne Ct. Barry —5E 37
Eastbrook Clo. Din P —1B 38
E. Canal Wharf. Card —5A 30 (in two parts)
Eastern Av. Card —5F 21
Eastern Clo. St Me —5B 16
Eastfield Clo. C'ln —5F 53
Eastfield Dri. C'ln —5F 53
Eastfield M. C'ln —5F 53
Eastfield Rd. C'ln —5F 53
Eastfield View. C'ln —5F 53
Eastfield Way. C'ln —5F 53
Eastgate Cres. C'wnt —1B 66
East Gro. Card —3C 30
East Gro. La. Card —3C 30
East Gro. Rd. Newp —6C 58
E. Market St. Newp —2G 63 (in two parts)
Eastmoor Rd. Newp —2D 64
E. Moors Bus. Pk. Card —5D 30
E. Moors Rd. Card —4C 30
East Rise. Card —5A 14
East Rd. Oakf —1G 51
East Rd. Sul —1D 42
E. Roedin. C Eva —1D 50
East St. Barry —3D 40
East St. Newp —6E 57
East St. P'prdd —1D 4
E. Tyndall St. Card —4D 30
E. Usk Rd. Newp —5F 57
East View. Caer —5E 9
East View. Grif —3E 47
East View. P'pool —5B 44
E. View Ter. Barry —4D 40
East Wlk. Barry —1E 41
Eastway. P'pool —1H 45
Eastway Rd. Newp —4G 63
Ebbw Rd. Cald —4C 66
Ebbw St. Ris —5B 60
Ebenezer Dri. Roger —1G 61
Ebenezer St. P'prdd —5F 5
Ebenezer Ter. Newp —1F 63
Ebley Gdns. Cald —6E 67
Ebwy Ct. Card —5H 27
Eckley Rd. Sul —2E 43
Eclipse St. Card —3C 30
Eddystone Clo. Card —6G 29
Edgcort. F'wtr —6B 48
Edgehill. Llanf —6H 49
Edgehill Av. L'shn —4E 13
Edinburgh Clo. G'mdw —4A 48
Edinburgh Ct. Card —4G 29
Edington Av. Card —5H 21
Edison Ridge. Newp —6H 51
Edith Rd. Din P —2B 38
Edlogan Sq. C'iog —1G 49
Edlogan Way. C'iog —3F 49
Edmond Rd. Sed —2H 69
Edmonds Ct. Card —6B 22
Edmund Pl. Barry —1B 42
Edward Clarke Clo. Card —5A 20
Edward German Cres. Newp —6F 59
Edward La. Newp —1E 63 (in two parts)
Edward Nicholl Ct. Rum —5D 22
Edward VII Av. Newp —1C 62
Edward VII Cres. Newp —6D 56
Edward VII La. Newp —6C 56
Edward St. Barry —6D 36
Edward St. Card —3B 30
Edward St. Grif —2E 47
Edward St. P'pool —4B 44
Edwin St. Newp —4F 57
Edwin St. Roger —1F 61
Egerton St. Card —3E 29
Egham St. Card —3E 29
Eglwys Av. P'prdd —6G 5
Eglwysilan Rd. P'prdd —1G 5 (in two parts)
Egremont Rd. Card —4B 22
Egypt St. P'prdd —3D 4
Eider Clo. St Me —5C 16
Eifion Clo. Barry —5C 36
Eistddfod Wlk. Newp —5E 59
Elaine Clo. Thorn —3G 13
Elaine Cres. Newp —4A 58
Elan Clo. Barry —1C 40
Elan Clo. Bet —2B 56
Elan Rd. Card —6A 14
Elan Wlk. St D —5C 48
Elan Way. Cald —4D 66
Elderberry Rd. Card —6F 19
Elder Clo. C'ln —1A 58
Elder Wood Clo. Cyn —4E 23
Eleanor Pl. Card —2D 34
Eleven St. Sul —1C 42
Elfed Av. P'rth —2E 39
Elfed Grn. Card —6A 20
Elfed Way. Barry —5D 36
Elford Rd. Card —4G 27
Elgar Av. Newp —6D 58
Elgar Circ. Newp —6E 59
Elgar Clo. Newp —6E 59
Elgar Cres. L'rmy —6B 16
Elgar Rd. P'rth —4F 39
Elizabethan Ct. P'rth —5A 34
Elizabeth Av. Barry —5A 36
Elizabeth M., The. Card —5G 29
Elled Rd. Wain —3A 44
Ellen St. Card —4B 30
Ellesmere Ct. St Me —1B 24
Ellipse, The. Grif —4D 46
Ellwood Clo. St Me —1D 24
Ellwood Path. St D —4B 48
Elm Av. Undy —6G 65
Elm Clo. Sul —3G 43
Elm Clo. Trev —1A 44
Elmdale. Chep —1E 69
Elm Dri. Ris —1A 54
Elmfield Clo. St Me —1C 24
Elm Gro. Barry —5E 37
Elm Gro. Caer —2F 9
Elm Gro. Newp —6A 52
Elm Gro. Seb —4E 47
Elm Gro. La. Din P —2A 38
Elm Gro. Pl. Din P —2B 38
Elmgrove Rd. Card —3A 20
Elm Gro. Rd. Din P —2A 38
Elm Ho. Whit —1A 20
Elmhurst Clo. Trev —2B 44
Elm Rd. Cald —4B 66
Elms Hill. Undy —6H 65
Elm St. Card —2C 30
Elm St. P'prdd —6G 5
Elm St. La. Card —2C 30
Elmwood Ct. Card —2C 30
Elworthy Clo. Sul —2F 43

Gainsborough Rd.—Grey Waters

Gainsborough Rd. *P'rth* —6B **34**
Galahad Clo. *Thorn* —4F **13**
Galdames Pl. *Card* —5D **30**
Gallamuir Rd. *Card* —2F **31**
Galston Pl. *Card* —3D **30**
Galston St. *Card* —3D **30**
Garden City Way. *Chep* —2E **69**
Gardenia Clo. *Card* —6D **14**
Gardens, The. *Magor* —6E **65**
Garden Village. *Caer* —3E **9**
Garesfield St. *Card* —4C **30**
Gareth Clo. *Thorn* —3F **13**
Garrick Dri. *Thorn* —3G **13**
Garside Dri. *Din P* —2C **38**
Garthalan Dri. *Cald* —6B **66**
Garth Clo. *Bass* —2F **61**
Garth Clo. *Morg* —5F **11**
Garth Clo. *Trev* —1B **44**
Garth Hill. *Bass* —2E **61**
Garth Hill. *Card* —3A **10**
Garth Ho. *Barry* —5C **36**
Garth Lwyd. *Caer* —2G **9**
Gartholwg. *Gwae G* —1D **10**
Garth Pl. *Card* —4F **21**
Garth Rd. *T Coc* —6D **48**
Garth St. *Card* —4B **30**
Garth St. *Taf W* —2E **11**
Garth Ter. *Bass* —3E **61**
Garth View. *B'ws* —1G **9**
Garth View. *N'grw* —5H **7**
Garth View. *Taf W* —1D **10**
Garvey Clo. *Bul* —6F **69**
Garw Row. *C'iog* —2H **49**
Garw, The. *C'iog* —2H **49**
Garw Wood Dri. *C'iog* —1G **49**
Gaskell St. *Newp* —2A **64**
Gaspard Pl. *Barry* —5C **40**
Gas Rd. *P'prdd* —2C **4**
Gateside Clo. *Card* —3G **15**
Gatlas La. *P'hir* —2G **53**
Gaudi Wlk. *Roger* —5F **55**
Gawain Clo. *Thorn* —3F **13**
Gelli Av. *Ris* —6C **60**
Gelli Clo. *Ris* —5C **60**
Gelli Cres. *Ris* —5C **60**
Gelli Dawel. *Caer* —3C **8**
Gellidawel Rd. *P'prdd* —5G **5**
Gelli Deg. *Caer* —2C **8**
Gelli Deg. *Card* —5D **12**
Gellideg Rd. *P'prdd* —3A **4**
Gelli Fawr Ct. *H'lys* —1A **50**
Gelligaer Gdns. *Card* —6H **21**
Gelligaer La. *Card* —6H **21**
Gelligaer St. *Card* —6H **21**
Gelli Hirion Ind. Est. *P'prdd* —1D **6**
Gelliwastad Gro. *P'prdd* —2C **4**
Gelliwastad Rd. *P'prdd* —2C **4**
Gelliwion Rd. *P'prdd* —4A **4**
Gelynis Ter. *Morg* —5F **11**
Gelynis Ter. N. *Morg* —5F **11**
General Rees Sq. *C'brn* —3E **49**
George Clo. *Gwae G* —2E **11**
George Lansbury Dri. *Newp* —4E **59**
Georges Row. *Din P* —1C **38**
George St. *Barry* —2G **41**
George St. *Card* —1E **35**
George St. *Newp* —2F **63**
George St. *P'nydd* —2A **44**
George St. *P'pool* —4B **44**
(in two parts)
Georgian Way. *L'shn* —5A **14**
Geraint Clo. *Thorn* —3F **13**
Geraint Pl. *Barry* —6C **36**
Gernant. *Card* —6E **13**
Gerrard Ct. *Card* —4G **29**
Gibbons Clo. *Newp* —1D **64**
Gibbonsdown Clo. *Barry* —5C **36**
Gibbonsdown Rise. *Barry* —6C **36**
Gibbs Rd. *Newp* —6B **58**
Gibraltar Way. *B'ly* —6H **69**
Gibson Clo. *L'shn* —1H **21**
Gifford Clo. *Two L* —6D **48**
Gilbert Clo. *Newp* —1E **65**
Gilbert La. E. *Barry* —4E **37**
Gilbert La. W. *Barry* —5D **36**
Gilbert Pl. *Card* —5E **21**
Gilbert St. *Barry* —1G **41**
Gileston Rd. *Card* —2F **29**
Gileston Wlk. *St D* —5C **48**
Gilian Rd. *Card* —6B **20**
Gilwern Cres. *L'shn* —4G **13**
Gilwern Pl. *L'shn* —4G **13**
Gilwern Pl. *Pnwd* —2D **48**
Glade Clo. *C Eva* —1B **50**
Gladeside Clo. *Thorn* —2G **13**
Glades, The. *P'rth* —2H **39**
Glade, The. *L'shn* —4A **14**
Gladstone Ct. *Barry* —2F **41**
Gladstone Pl. *Seb* —4E **47**
Gladstone Rd. *Barry* —2E **41**
Gladys St. *Card* —1A **30**
Glamorgan M. *Card* —3E **29**
Glamorgan St. *Barry* —4C **40**
Glamorgan St. *Card* —3E **29**
Glandovey Gro. *Rum* —1C **24**
Glandwr Pl. *Card* —3D **20**
Glan Ely Clo. *Card* —2G **27**
Glanfelin Flats. *Haw* —1B **6**
Glan Ffrwd. *Caer* —1A **8**
Glanmor Cres. *Barry* —2D **40**
Glanmor Cres. *Newp* —6C **58**
Glanmor Pk. Av. *Newp* —6C **58**
Glanmuir Rd. *Card* —1G **31**
Glan Nant Clo. *Caer* —6D **8**
Glanrhyd. *Card* —6E **13**
Glan Rhyd. *C Eva* —1B **50**
(in two parts)
Glantorvaen Rd. *P'pool* —5C **44**
Glanwern Av. *Newp* —5D **58**
Glanwern Clo. *Newp* —5D **58**
Glanwern Dri. *Newp* —5D **58**
Glanwern Gro. *Newp* —5D **58**
Glanwern Ho. *P'pool* —5B **44**
Glanwern Rise. *Newp* —5D **58**
Glanwern Ter. *P'pool* —5B **44**
Glan-y-Ffordd. *Taf W* —1E **11**
Glan-y-Mor. *Barry* —5B **40**
Glan-y-Mor Rd. *Rum* —2C **24**
Glan-y-Nant Clo. *T Coc* —6D **48**
Glan-y-Nant Rd. *Card* —2D **20**
Glan-y-Nant Ter. *Whit* —2D **20**
Glanyrafon. *Gwae G* —1D **10**
Glas Canol. *Card* —4D **20**
Glascoed Rd. *New I* —1H **47**
Glas Efail. *Card* —6F **13**
Glas Heulog. *Card* —3D **20**
Glasllwch Cres. *Newp* (in two parts) —1H **61**
Glasllwch La. *Newp* —2H **61**
Glasllwch View. *Newp* —2H **61**
Glaslyn Clo. *Barry* —2C **40**
Glaslyn Ct. *C'iog* —1F **49**
Glass Av. *Card* —6E **31**
Glass Works Cotts. *Newp* —3F **57**
Glastonbury Clo. *Newp* —5F **57**
Glastonbury Rd. *Sul* —1F **43**
Glastonbury Ter. *L'rmy* —2H **23**
Glas-y-Pant. *Card* —1B **20**
Glebe Pl. *L'shn* —5H **13**
Glebe St. *Barry* —6C **36**
Glebe St. *B'ws* —1H **9**
Glebe St. *Newp* —6H **57**
Glebe St. *P'rth* —6C **34**
Glen Affric Clo. *Barry* —1D **40**
Glenbrook Dri. *Barry* —5F **37**
Glencoe St. *Barry* —1G **41**
Glencourt. *Seb* —4E **47**
Glendale Av. *L'shn* —4G **13**
Glenfields Est. *Caer* —4B **8**
Glengariff Ct. *Grif* —3D **46**
Glen Hafren. *Barry* —5B **40**
Glen Mavis Way. *Barry* —1D **40**
Glenmount Way. *Thorn* —3F **13**
Glenrise Clo. *St Me* —6E **17**
Glenroy. *Up R* —2A **46**
Glenroy St. *Card* —1B **30**
Glenside. *Pnwd* —1D **48**
Glenside Ct. *P'lan* —5C **22**
Glen Usk View. *C'ln* —5F **53**
Glen View. *C'brn* —4D **48**
Glen View. *L'shn* —1H **21**
Glen View Rd. *Trev* —1B **44**
Glenwood. *Card* —1D **22**
Glos Gwern-y-Mor. *St Me* —1D **24**
Glossop Rd. *Card* —3C **30**
Gloster Pl. *Newp* —5G **57**
Gloster's Pde. *New I* —2H **47**
Gloster St. *Newp* —5G **57**
Gloucester Clo. *Barry* —1F **41**
Gloucester Clo. *Llan* —4H **49**
Gloucester Ct. C'ln —6E ***53***
(off Roman Way)
Gloucester St. *Card* —4H **29**
Glynbridge Clo. *Barry* —4B **36**
Glyn Coed Rd. *Card* —6E **15**
Glyn Collen. *Card* —6G **15**
Glyn Derw. *Caer* —3D **8**
Glyn-Dwr Av. *R'fln* —5F **5**
Glyndwr Rd. *Barry* —2E **41**
Glyndwr Rd. *Card* —3F **27**
Glyndwr Rd. *C'brn* —3F **49**
Glyndwr Rd. *P'rth* —2E **39**
Glyn Eiddew. *Card* —5F **15**
Glynne St. *Card* —3F **29**
Glynrhondda St. *Card* —2A **30**
Glyn Rhosyn. *Card* —5D **14**
Glyn Simon Clo. *Card* —4A **20**
Glynstell Clo. *Card* —1H **33**
Glyntaff Clo. *P'prdd* —5G **5**
Glyntaff Rd. *P'prdd* —3F **5**
Glyntirion. *Two L* —6D **48**
Godfrey Rd. *Newp* —6D **56**
(in two parts)
Godfrey Rd. *Pnwd* —2D **48**
Godfrey St. *Card* —4C **30**
Godwin Clo. *Card* —3H **19**
Golate. *Card* —4A **30**
Gold Cliff Ct. *C'brn* —4F **49**
Goldcrest Dri. *Card* —6D **14**
Goldcroft Comn. *C'ln* —1C **58**
Goldcroft Ct. *C'ln* —1C **58**
Goldfinch Clo. *Cald* —6C **66**
Goldsland Pl. *Barry* —2C **40**
Goldsmith Clo. *L'rmy* —6H **15**
Goldsmith Clo. *Newp* —3B **62**
Gold St. *Card* —3D **30**
Gold Tops. *Newp* —6E **57**
Golf Rd. *New I* —1G **47**
Goodrich Av. *Caer* —5F **9**
Goodrich Ct. *Llan* —5H **49**
Goodrich Cres. *Newp* —4E **57**
Goodrich La. *Newp* —4E **57**
Goodrich St. *Caer* —5E **9**
Goodwick Clo. *Barry* —5B **36**
Goodwick Rd. *Rum* —4A **24**
Goodwood Clo. *Card* —5D **26**
Goossens Clo. *Newp* —5G **59**
Gordings. *G'mdw* —4B **48**
Gordon Rd. *Card* —2B **30**
Gordon St. *Newp* —6H **57**
Gore St. *Newp* —4G **57**
Gorsedd Gdns. *Card* —3A **30**
Gorse Pl. *Card* —1G **27**
Goscombe Dri. *P'rth* —6B **34**
Gough Rd. *Card* —4G **27**
Gould Clo. *Card* —6B **16**
Govilon Pl. *Pnwd* —2D **48**
Gower Grn. *C'iog* —1G **49**
Gower St. *Card* —6A **22**
Goya Clo. *Newp* —4B **58**
Goy Rd. *Barry* —3C **40**
Gradon Clo. *Barry* —1A **42**
Grafton Clo. *Cyn* —4D **22**
Grafton La. *Newp* —6G **57**
Grafton Rd. *Newp* —6F **57**
Grafton Ter. *Card* —1E **21**
Graham Bell Clo. *Newp* —5G **51**
Graham Clo. *Card* —5E **23**
Graham Ct. *Caer* —4F **9**
Grahamstown Gro. *Sed* —2G **69**
Grahamstown Rd. *Sed* —2H **69**
Graham St. *Newp* —1E **63**
Graham Wlk. *Card* —4F **29**
Graig Av. *Graig* —4B **4**
Graig Clo. *Bass* —2F **61**
Graig Fach. *G'tff* —4F **5**
Graig Hir. *Rad* —6F **11**
Graig-Llwyn Rd. *L'vne* —1C **14**
Graig Lwyd. *Rad* —6F **11**
Graig Pk. Av. *Newp* —1D **56**
Graig Pk. Circ. *Newp* —2D **56**
Graig Pk. Hill. *Newp* —2E **57**
Graig Pk. La. *Newp* —2E **57**
Graig Pk. Pde. *Newp* —2E **57**
Graig Pk. Rd. *Newp* —2D **56**
Graig Pk. Vs. *Newp* —2D **56**
Graig Rd. *L'vne* —1A **14**
Graig Rd. *Up Cwm* —3A **48**
Graig St. *Graig* —3C **4**
Graig Ter. *Graig* —3C **4**
Graig View. *L'vn* —2B **14**
Graig View. *N'grw* —5H **7**
Graig View. *Ris* —6B **60**
Graig View. *Up Cwm* —1B **48**
Graig Wen. *Morg* —5F **11**
Graigwen Parc. *P'prdd* —1A **4**
Graigwen Pl. *P'prdd* —2B **4**
Graigwen Rd. *P'prdd* —1A **4**
Graig Wood Clo. *Newp* —2D **56**
Graig y Fforest. *Tref* —6E **5**
Graig-yr-Helfa Rd. *P'prdd* —3E **5**
Graig yr Hesg Pl. *P'prdd* —1D **4**
Graig yr Hesg Rd. *P'prdd* —1D **4**
Graig-yr-Wylan. *Caer* —4B **8**
Grand Av. *Card* —5E **27**
Grange Av. *Wen* —6B **32**
Grange Clo. *Caer* —4C **8**
Grange Clo. *Wen* —5B **32**
Grange Ct. *Newp* —1D **62**
Grange Ct. *P'nydd* —2A **44**
Grange Gdns. *Card* —1B **34**
Grange Ind. Site. *C'brn* —5F **49**
Grange La. *C'brn* —3E **49**
Grange Path. *Llanf* —6H **49**
Grange Pl. *Card* —1C **34**
Grange Rd. *C'brn* —3F **49**
Grange Rd. *Undy* —5F **65**
Grange, The. *Caer* —4C **8**
Grange, The. *Card* —1C **28**
Grangetown Link. *Card* —2H **33**
Grangewood Clo. *Card* —4H **15**
Granston Ho. *F'wtr* —5B **48**
Granston Sq. *F'wtr* —5B **48**
Grantham Clo. *Card* —5A **20**
Grant's Clo. *Tong* —5G **11**
Granville Av. *Card* —2C **28**
Granville Clo. *Roger* —1H **61**
Granville La. *Newp* —1G **63**
Granville Sq. *Newp* —1G **63**
Granville St. *Newp* —1G **63**
Grasmere Av. *Card* —4A **22**
Grasmere Way. *Bul* —6G **69**
Grassmere Clo. *L'dgh* —5A **34**
Gray Hill View. *Pskwt* —5F **67**
Graylands, The. *Card* —1E **21**
Gray La. *Card* —3F **29**
Gray St. *Card* —3F **29**
Gt. Western Ct. *Card* —4E **29**
Gt. Western La. *Card* —4A **30**
Greave Clo. *Wen* —5B **32**
Greek Chu. St. *Card* —5B **30**
Green Acre. *Two L* —6D **48**
Greenacre Dri. *B'ws* —1G **9**
Greenacre Dri. *Card* —3H **15**
Greenacres. *Barry* —6F **37**
Green Av. *Cald* —5C **66**
Greenbanks Dri. *Barry* —1D **40**
Greenbay Rd. *Card* —3G **31**
Greenclose Rd. *Card* —3E **21**
Green Ct. *Cald* —5B **66**
Greencourt. *C'iog* —1G **49**
Greencroft Av. *Card* —3B **28**
Greendale Pl. *Tong* —5H **11**
Greene Clo. *Newp* —6G **59**
Green Farm Clo. *Card* —5E **27**
Green Farm La. *Card* —6E **27**
Green Farm Rd. *Card* —5E **27**
Greenfield. *C'ln* —6E **53**
Greenfield. *Cald* —5C **66**
Greenfield Av. *Can* —2E **29**
Greenfield Av. *Din P* —1A **38**
Greenfield Av. *Whit* —2E **21**
Greenfield Clo. *Pnwd* —1D **48**
Greenfield Rd. *Card* —2E **21**
Greenfield Rd. *Roger* —1G **61**
Greenforge Way. *C'brn* —4C **48**
Greenhaven Rise. *L'dgh* —5A **34**
Greenhill Clo. *Grif* —4E **47**
Greenhill Rd. *C'brn* —3D **48**
Greenhill Rd. *Grif* —3E **47**
Greenland Cres. *Card* —1G **27**
Greenland Rd. *Trev* —2B **44**
Green La. *Barry* —5E **37**
Green La. *Cald* —5C **66**
Green La. *Pet W* —6G **17**
Green Lawns. *Barry* —6C **36**
Greenlawns. *Card* —5D **22**
Greenmeadow Av. *Newp* —2D **64**
Green Meadow Clo. *C'brn* —5D **48**
Greenmeadow Clo. *Din P* —3B **38**
Greenmeadow Dri. *Tong* —4H **11**
Greenmeadow Rd. *Newp* —2D **64**
Greenmeadows. *Rum* —2C **24**
Greenmeadow Sq. C'brn —5D ***48***
(off Greenmeadow Way)
Greenmeadow Way. *G'mdw* —4C **48**
Green Moor La. *Magor* —6D **64**
Greenock Rd. *Rum* —1B **24**
Green St. *Card* —4H **29**
Green St. *Chep* —3E **69**
Green, The. *Card* —6C **20**
Green, The. *Rad* —2G **19**
Greenway. *B'ws* —1F **9**
Greenway Av. *Rum* —4A **24**
Greenway Clo. *Grif* —3D **46**
Greenway Clo. *L'dgh* —4G **33**
Greenway Ct. *Barry* —5F **37**
Greenway Dri. *Grif* —3D **46**
Greenway Rd. *Rum* —4A **24**
Greenways, The. *Undy* —6E **65**
Greenway Wlk. *Grif* —3D **46**
Greenwich Rd. *Card* —2D **28**
Greenwich Rd. *Newp* —4D **62**
Green Willows. *Oakf* —1G **51**
Greenwood Av. *Pnwd* —1C **48**
Greenwood Clo. *Card* —3H **15**
Greenwood Ct. *Caer* —4F **9**
Greenwood La. *St F* —2E **27**
Greenwood Rd. *Card* —6B **20**
Greenwood St. *Barry* —3F **41**
Grenville Rd. *Card* —1D **30**
Grenville Ter. *Rog* —6A **66**
Gresford Clo. *St Me* —1B **24**
Greyfriars Pl. *Card* —3A **30**
Greyfriars Rd. *Card* —3A **30**
Greys Rd. *C'flds* —1C **46**
Grey Waters. *Llan* —4G **49**

Griffin Clo.—Heol Gabriel

Griffin Clo. *Barry* —1A **36**
Griffin St. *Newp* —6F **57**
Griffin, The. *Bass* —3F **61**
Grimson Clo. *Sul* —2F **43**
Grindle Wlk. *Roger* —5F **55**
Grisedale Clo. *Card* —5B **22**
Groes Lon. *Card* —5D **12**
Groes Rd. *Roger* —5F **55**
Groeswen Dri. *Caer* —4A **8**
Groeswen Rd. *Card* —4A **8**
Groeswen Rd. *N'grw* —3H **7**
Gron Ffordd. *Card* —4D **12**
Grongaer Ter. *P'prdd* —3B **4**
Grosmont. *LLan* —1G **49**
Grosmont Rd. *New I* —1H **47**
Grosvenor Pl. *Seb* —4E **47**
Grosvenor Rd. *Bass* —2E **61**
Grosvenor St. *Card* —4D **28**
Grouse St. *Card* —2C **30**
Grove Clo. *P'nydd* —2A **44**
Grove Cres. *Trev* —2B **44**
Grove Est. *P'nydd* —2A **44**
Groveland Rd. *Card* —3F **21**
Grove La. *Newp* —2F **63**
Grove Pk. *Pnwd* —1E **49**
Grove Pk. Av. *Pnwd* —1E **49**
Grove Pk. Dri. *Newp* —1E **57**
Grove Pk. Roundabout. *Newp* —2F **57**
Grove Pl. *Card* —2F **21**
Grove Pl. *Grif* —3E **47**
Grove Pl. *P'rth* —1G **39**
Grove Pl. La. *P'rth* —1G **39**
Grove Rd. *P'nydd* —3A **44**
Grove Rd. *Ris* —4A **60**
Grover St. *Graig* —3B **4**
Groves Rd. *Newp* —1H **61**
Grove Ter. *P'rth* —1G **39**
Grove Ter. *P'nydd* —2A **44**
Grove, The. *Barry* —5C **40**
Grove, The. *Cald* —5D **66**
*Grove, The. Newp —2F **63***
(off Clytha Sq.)
Grove, The. *Rum* —4A **24**
Grove Way. *Rum* —4A **24**
Gruffyd Dri. *Caer* —2D **8**
Guardian Ind. Est. *Card* —2F **31**
Guenever Clo. *Thorn* —3F **13**
Guest Rd. *Card* —5E **31**
Guildford Cres. *Card* —4B **30**
Guildford St. *Card* —4B **30**
Guildhall Pl. *Card* —4A **30**
Guthrie St. *Barry* —2G **41**
Guy's Rd. *Barry* —1H **41**
Gwaelod-y-Garth Rd. *Up B* —3D **6**
Gwalia Gro. *P'prdd* —5F **5**
Gwaun Clo. *Card* —3A **20**
Gwaun Hyfryd. *Caer* —3G **9**
Gwaun Newydd. *Caer* —3G **9**
Gwaun Rd. *P'prdd* —5F **5**
Gwaun y Cwrt. *Caer* —6A **8**
Gwbert Clo. *Rum* —2C **24**
Gwendoline Pl. *Card* —4D **30**
Gwendoline Rd. *Ris* —6B **60**
Gwendoline St. *Card* —4D **30**
Gwenfo Dri. *Wen* —5B **32**
Gwenllian St. *Barry* —1B **42**
Gwennyth St. *Card* —6A **22**
Gwenog Ct. *Barry* —2C **40**
Gwent. *N'clfe* —6E **35**
Gwentlands Clo. *Bul* —3E **69**
Gwent Rd. *Card* —5F **27**
Gwent Rd. *P'prdd* —4F **7**
Gwent Sq. *C'brn* —3E **49**
Gwent St. *P'pool* —5B **44**
Gwern Rhuddi Rd. *Card* —5C **14**
Gwili Rd. *R'fln* —2E **7**
Gwilym Pl. *Barry* —5C **36**
Gwilym St. *R'fln* —1A **6**
Gwladys Pl. *C'ln* —6F **53**
Gwy Ct. *Chep* —1F **69**
Gwynant Cres. *Card* —2B **22**
Gwyn Dri. *Caer* —3D **8**
Gwyndy Rd. *Undy* —6G **65**
Gwyn James Ct. *P'rth* —6A **34**
Gwynllyw. *Phwd* —1C **48**
Gwyn St. *P'prdd* —6E **5**
Gyfeillon Rd. *P'prdd* —1A **4**
Gypsy La. *Groes* —6A **8**

Habershon St. *Card* —4E **31**
Hackerford Rd. *Card* —5C **14**
Haden St. *P'pool* —5B **44**
Hadfield Rd. *Card* —6E **29**
Hadley Ho. *P'rth* —4F **39**
Hadrian Clo. *C'ln* —6F **53**
Hafan-Werdd. *Caer* —2G **9**
Hafod Clo. *P'hir* —3E **53**
Hafod Ct. Rd. *Thorn* —2A **48**
Hafod Cwrt. *Newp* —2D **62**
Hafod Gdns. *P'hir* —3E **53**
Hafod La. *P'prdd* —1A **4**
Hafod Rd. *P'hir* —3E **53**
Hafod St. *Card* —5H **29**
Hafren Ct. *Card* —2F **29**
Hafren Rd. *Barry* —2E **41**
Hafren Rd. *Thorn* —3A **48**
Haig Pl. *Card* —6E **27**
Hailey Ct. *Card* —3B **20**
Haines Clo. *Caer* —6B **8**
Haisbro Av. *Newp* —3H **57**
Haldane Ct. *Caer* —4G **9**
Haldane Pl. *Newp* —1D **56**
Haldens, The. *F'wtr* —6B **48**
Halle Clo. *Newp* —5H **59**
Halliard Ct. *Card* —6C **30**
Halsbury Rd. *Card* —2D **28**
Halstead St. *Newp* —1H **63**
Halton Clo. *P'rth* —5G **39**
Hamadryad Rd. *Card* —2C **34**
Hamilton Ct. *Card* —3E **29**
Hamilton St. *Card* —3G **29**
Hamilton St. *Newp* —2A **64**
Hammond Dri. *Newp* —1A **64**
Hammond Way. *P'lan* —6E **23**
Hampden Ct. *Newp* —2B **64**
Hampden Rd. *Newp* —2B **64**
Hampshire Av. *Newp* —3C **64**
Hampshire Clo. *Newp* —3C **64**
Hampshire Cres. *Newp* —3C **64**
Hampstead Wlk. *Card* —5D **26**
Hampton Ct. Rd. *P'lan* —5E **23**
Hampton Cres. E. *Card* —4D **14**
Hampton Cres. W. *Card* —4C **14**
Hampton Rd. *Card* —3F **21**
Hanbury Clo. *C'brn* —3E **49**
Hanbury Clo. *C'ln* —2D **58**
Hanbury Clo. *Whit* —2A **20**
Hanbury Gdns. *P'pool* —3A **44**
Hanbury Rd. *P'nydd* —3A **44**
Hanbury Rd. *P'pool* —5C **44**
Handel Clo. *Newp* —6H **59**
Handel Clo. *P'rth* —4F **39**
Hand Farm Rd. *New I* —6F **45**
Handley Rd. *Card* —2G **31**
Handsworth St. *Newp* —1A **64**
Hanley Path. *St D* —5C **48**
Hannah Clo. *L'shn* —1H **21**
Hannah St. *Barry* —1G **41**
Hannah St. *Card* —6B **30**
Hanover Clo. *Chep* —1D **68**
Hanover Ct. *Barry* —6F **37**
Hanover Ct. *Whit* —1B **20**
Hanover St. *Barry* —2F **41**
Hanover St. *Card* —4E **29**
Hansom Pl. *Card* —6G **29**
Harbour Dri. *Card* —1E **35**
Harbour Rd. *Barry* —4D **40**
(in two parts)
Harbour View Rd. *P'rth* —6C **34**
Harding Av. *Newp* —6H **51**
Hardwick Av. *Chep* —3E **69**
Hardwicke Ct. *Card* —1C **28**
Hardwick Hill. *Chep* —3D **68**
Hardwick Hill La. *Chep* —3E **69**
Hardwick Ter. *Chep* —2E **69**
(in two parts)
Hardy Clo. *Barry* —5C **36**
Hardy Clo. *Newp* —4B **62**
Hardy Ct. *P'yndd* —2A **44**
Hardy Pl. *Card* —2C **30**
Harefield Clo. *Card* —4H **15**
Harford Clo. *Card* —2A **20**
Hargreaves Dri. *Newp* —6H **51**
Harlech Clo. *C'iog* —1G **49**
Harlech Clo. *Din P* —2C **38**
Harlech Ct. *Caer* —3A **8**
Harlech Ct. *L'shn* —1C **20**
Harlech Dri. *Din P* —2C **38**
Harlech Dri. *R'drn* —2D **60**
Harlech Gdns. *Barry* —5A **36**
Harlech Ho. *Rad* —1G **19**
Harlech Retail Pk. *Newp* —3D **62**
Harlech Rd. *Rum* —4A **24**
Harlequin Roundabout. *Newp* —5E **57**
Harlequins Ct. *Card* —1E **31**
Harold St. *Card* —2E **31**
Harold St. *Pnwd* —2E **49**
*Harold Wlk. Roger —1G **61***
(off Ebenezer Dri.)
Harpur St. *Card* —5A **30**
Harriet St. *Card* —1A **30**
Harriet St. *P'rth* —6B **34**
Harrington Ct. *Card* —6F **27**
Harris Av. *Rum* —3A **24**
Harrismith Rd. *Card* —6C **22**
Harrison Ct. *Seb* —4E **47**
Harrison Way. *Card* —3B **34**
Harrogate Rd. *Newp* —3H **57**
Harrowby La. *Card* —1D **34**
Harrowby Pl. *Card* —2D **34**
Harrowby St. *Card* —1D **34**
Harrow Clo. *C'ln* —5E **53**
Harrow Rd. *Newp* —6G **57**
*Hart Gdns. Newp —2F **63***
(off Alma St.)
Hartland Rd. *L'rmy* —2G **23**
Hartley Pl. *Card* —6F **29**
Hartridge Farm Rd. *Newp* —1F **65**
Hartshorn Ct. *Caer* —4G **9**
Harvey Clo. *Newp* —1D **56**
Harvey St. *Barry* —1H **41**
(in two parts)
Harvey St. *Card* —3E **29**
Hassocks Lea. *F'wtr* —6B **48**
Hastings Av. *P'rth* —1E **39**
Hastings Clo. *P'rth* —1E **39**
Hastings Cres. *Card* —5B **16**
Hastings Pl. *P'rth* —1E **39**
Hathaway Pl. *Barry* —5E **37**
Hathaway St. *Newp* —1A **64**
Hatherleigh. *Newp* —6C **58**
Hatherleigh Rd. *Rum* —3G **23**
Haul Fryn. *Card* —5B **12**
Havelock Pl. *Card* —6H **29**
Havelock St. *Card* —4A **30**
Havelock St. *Newp* —1E **63**
Havenwood Dri. *Thorn* —2F **13**
Haverford Way. *Card* —5H **27**
Hawarden Grn. *Llan* —5H **49**
Hawarden Rd. *Newp* —6B **58**
Hawfinch Clo. *Card* —6D **14**
Hawke Clo. *Newp* —4F **59**
Hawker Clo. *Card* —2G **31**
Hawkes Ridge. *T Can* —5A **48**
Hawkins Cres. *Newp* —4F **59**
Hawksmoor Clo. *Roger* —5G **55**
Hawksworth Gro. *Newp* —1C **64**
Hawkwood Clo. *Card* —6F **19**
Hawthorn Av. *P'rth* —2E **39**
Hawthorn Clo. *Bul* —5F **65**
Hawthorn Clo. *Din P* —3B **38**
Hawthorn Cres. *P'prdd* —1C **6**
Hawthorne Av. *Newp* —1B **64**
Hawthorne Clo. *Bul* —6E **69**
Hawthorne Fosse. *Newp* —1C **64**
Hawthorne Sq. *Newp* —6B **58**
Hawthorn Rd. *Barry* —3C **40**
Hawthorn Rd. *P'prdd* —1C **6**
Hawthorn Rd. *Seb* —4D **46**
Hawthorn Rd. E. *Card* —4B **20**
Hawthorn Rd. W. *Card* —4B **20**
Hawthorns, The. *Card* —6E **15**
Hawthorns, The. *Up Cwm* —1B **48**
*Haxby Ct. Card —5C **30***
(off Felbridge Clo.)
Hayes Bri. Rd. *Card* —4A **30**
Hayes La. *Sul* —3B **42**
Hayes Rd. *Sul* —3B **42**
Hayes, The. *Card* —4A **30**
Hayling Clo. *St Ju* —4A **58**
Haynes Ct. *Newp* —3G **63**
*Hayswayn. F'wtr —6B **48***
(off Fairwater Way)
Hazel Av. *Cald* —4B **66**
Hazel Clo. *New I* —6H **45**
Hazeldene Av. *Card* —5A **22**
Hazeldene Clo. *Barry* —6C **36**
Hazel Gro. *Caer* —2F **9**
Hazel Gro. *Din P* —3B **38**
Hazelhurst Ct. *Card* —4B **20**
Hazelhurst Rd. *Card* —4B **20**
Hazel Pl. *Card* —6H **19**
Hazel Rd. *P'rth* —3F **39**
Hazel Tree Clo. *Rad* —1E **19**
Hazel Wlk. *C'ln* —1A **58**
Hazel Wlk. *C'iog* —1G **49**
Hazelwood Dri. *St Me* —6C **16**
Hazlitt Clo. *L'rmy* —5H **15**
Hazlitt Clo. *Newp* —4B **62**
Headland, The. *Bul* —6G **69**
Heath Av. *P'rth* —6H **33**
Heathbrook. *L'shn* —6A **14**
Heathcliffe Clo. *St Me* —5B **16**
Heath Clo. *Newp* —3D **64**
Heath Cres. *G'wen* —2B **4**
Heather Av. *Card* —3B **28**
Heather Clo. *Bul* —5F **69**
Heather Ct. *T Can* —6A **48**
(in two parts)
Heather Rd. *Newp* —3H **57**
Heathers, The. *Barry* —2D **40**
Heather View Rd. *P'prdd* —1E **5**
Heather Way. *Card* —1H **27**
Heathfield Dri. *Barry* —6A **36**
Heathfield Pl. *Card* —5G **21**
Heathfield Rd. *Card* —5G **21**
Heath Halt Rd. *Rum & Card* —2A **22**
Heathland Vs. *P'prdd* —4E **5**
Heath Mead. *Card* —3A **22**
Heath Pk. Av. *Card* —2H **21**
Heath Pk. Ct. *Card* —3A **22**
Heath Pk. Cres. *Card* —3A **22**
Heath Pk. Dri. *Card* —2A **22**
Heath Pk. La. *Card* —4F **21**
Heath St. *Card* —4G **29**
Heath Ter. *G'wen* —2B **4**
Heath Way. *Card* —2G **21**
Heathwood Gro. *Card* —3A **22**
Heathwood Rd. *Card* —3F **21**
Heddfan N. *Card* —6F **15**
Heddfan S. *Card* —6F **15**
Hedel Rd. *Card* —3C **28**
Heidenheim Dri. *Newp* —3F **57**
Helen Pl. *Card* —2D **30**
Helen St. *Card* —2D **30**
Helford Sq. *Bet* —1A **56**
Hellas Dri. *Barry* —1A **36**
Helpstone Ter. *Wain* —4A **44**
Hemingway Rd. *Card* —1E **35**
Hendre. *Caer* —1B **8**
Hendre Clo. *Card* —1C **28**
Hendre Ct. *H'lys* —1A **50**
Hendredenny Dri. *Caer* —3A **8**
Hendre Farm Ct. *Newp* —4G **59**
Hendre Farm Dri. *Newp* —6F **59**
Hendre Farm Gdns. *Newp* —6F **59**
Hendre Gdns. *Card* —1C **28**
Hendre Rd. *Rum* —1C **24**
Hendrick Dri. *Sed* —2G **69**
Hendy La. *C'brn* —5D **48**
Hendy St. *Card* —6B **22**
Hengoed Clo. *Card* —5G **27**
Henley Clo. *Card* —6C **20**
Henllys La. *H'lys* —1A **50**
Henllys La. *Roger* —1F **55**
Henllys Rd. *Card* —1B **22**
Henllys Village Rd. *H'lys* —1A **50**
Henllys Way. *C'brn* —1A **50**
Henry Morgan Clo. *Duf* —6C **62**
Henry St. *Barry* —1B **42**
Henry St. *Card* —1D **34**
Henry St. *P'prdd* —1A **4**
Henry Wood Clo. *Newp* —1D **64**
Henry Wood Wlk. *Newp* —1D **64**
Hensol Clo. *Llan* —4G **49**
Hensol Clo. *Roger* —5G **55**
Henson St. *Newp* —1A **64**
Henwysg Clo. *P'prdd* —1A **4**
Heol Aer. *Card* —5E **13**
Heol Amlwch. *Card* —4D **20**
Heol Aneurin. *Caer* —1A **8**
Heol Aradur. *Card* —4H **19**
Heol Barri. *Caer* —2C **8**
Heol Berllan. *Caer* —2E **9**
Heol Berry. *Gwae G* —2D **10**
Heol Beuno. *New I* —6G **45**
Heol Billingsley. *N'grw* —5G **7**
Heol Blakemore. *Card* —2B **20**
Heol Booker. *Card* —2A **20**
Heol Briwnant. *Card* —4D **12**
Heol Browen. *Caer* —2E **9**
Heol Brynglas. *Card* —5C **12**
Heol Cae Celynnen. *Caer* —2E **9**
Heol Cae Fan Heulog. *Caer* —2E **9**
Heol Cae Gwyn. *Caer* —6B **8**
Heol Cae Maen. *Caer* —2E **9**
Heol Cafrhys. *L'shn* —6E **13**
Heol Camddwr. *Card* —4H **15**
Heol Carnau. *Card* —6H **27**
Heol Carne. *Card* —3E **21**
Heol Cattwg. *Card* —4D **20**
Heol Cefn On. *L'vn* —2A **14**
Heol Celyn. *Chu V* —4A **6**
Heol Chappell. *Card* —2B **20**
Heol Clyd. *Caer* —2A **8**
Heol Coed Cae. *Card* —3D **20**
Heol Crochendy. *N'grw* —4F **7**
Heol Cwm Ifor. *Caer* —1A **8**
Heol Danyrodyn. *P'rch* —4A **10**
Heol Dderwen. *Tont* —3B **6**
Heol Deg. *Tont* —4B **6**
Heol Deiniol. *New I* —6G **45**
Heol Dennant. *Card* —1A **28**
Heol Derlwyn. *Card* —5D **12**
Heol Derwen. *New I* —6G **45**
Heol Deva. *Card* —6G **27**
Heol Dewi Sant. *Barry* —2E **41**
Heol Dolwen. *Card* —3E **21**
Heol Don. *Whit* —2B **20**
Heol Dyfed. *Card* —2F **21**
Heol Ebwy. *Card* —5H **27**
Heol Edwards. *N'grw* —5H **7**
Heol Eglwys. *Card* —5A **28**
Heol Erwin. *Card* —4E **13**
Heol Esgyn. *Card* —1A **22**
Heol Fach. *Caer* —3B **8**
Heol Fach. *N'grw* —5H **7**
Heol Fair. *Card* —6C **20**
Heol Fawr. *Caer* —1A **8**
Heol Fer. *Caer* —1B **8**
Heol Ffynnon Wen. *Card* —5B **12**
Heol Gabriel. *Card* —4D **20**

Lansbury Clo. Caer —2C 8
Lansdale Dri. Tont —4B 6
Lansdowne. Seb —4E 47
Lansdowne Av. Whit —1E 21
Lansdowne Av. E. Can —4E 29
Lansdowne Av. W. Can —4D 28
Lansdowne Rd. C'ln —1C 58
Lansdowne Rd. Card —3D 28
Lansdowne Rd. Newp —3C 62
Lanwern Rd. P'prdd —3B 4
Lanwood Rd. P'prdd —1B 4
Lapwing Av. Cald —6D 66
Lapwing Clo. P'rth —6G 39
Larch Clo. New I —1G 47
Larch Ct. Newp —6H 51
Larch Ct. Tong —4H 11
Larch Gro. Caer —2F 9
Larch Gro. L'vne —2B 14
Larch Gro. Newp —6H 51
Larch Ho. Whit —1A 20
Larchwood. Wen —6B 32
Larkfield Av. Chep —3E 69
Larkfield Clo. C'ln —5E 53
Larkhill Clo. Bul —3E 69
Larkwood Av. P'rth —3G 39
Lascelles Dri. Card —4H 15
Lasgarn La. Abers —1C 44
Latch Sq. Newp —2F 63 (off Alma St.)
Laugharne Av. Rum —4A 24
Laugharne Ct. Barry —6B 36
Laugharne Rd. Rum —4A 24
Launcelot Cres. Thorn —3F 13
Laundry Rd. P'prdd —2B 4
Laural Wlk. Pnwd —1C 48
Laura St. Barry —6F 37
Laura St. Tref —3D 4
Laureate Clo. L'rmy —6H 15
Laurel Av. Haw —1C 6
Laurel Clo. Undy —5G 65
Laurel Ct. Barry —4C 40
Laurel Cres. Newp —1E 57
Laurel Cres. Undy —6H 65
Laurel Dri. Bass —2G 61
Laurel Grn. Up Cwm —1B 48
Laurel Rd. Bass —2E 61
Lauriston Clo. Card —1A 32
Lauriston Pk. Card —1A 32
Lavender Gro. Card —1G 27
Lavender Way. Roger —4C 54
Lavernock Rd. P'rth —3F 39
Lavernock Rd. S'bri —3H 43
Lavery Clo. Newp —4B 58
Lawns, The. Magor —6E 65
Lawn Ter. P'prdd —4E 5
Lawrence Hill. Newp —6C 58 (in two parts)
Lawrence Hill Av. Newp —6C 58
Lawrence St. Caer —4E 9
Lawrenny Av. Card —5D 28
Laybourne Clo. Pnwd —2E 49
Laytonia Av. Card —5G 21
Leach Rd. Bet —6D 50
Lea Clo. Bet —1A 56
Lea Clo. Undy —5F 65
Leadon Ct. Thorn —3A 48
Lead St. Card —3D 30
Leamington Rd. Card —1D 20
Leas, The. Pnwd —2C 48
Leckwith Av. Card —4E 29
Leckwith Clo. Card —5F 29
Leckwith Ct. Card —5H 27
Leckwith Ho. Barry —5C 36
Leckwith Ind. Est. Card —1H 33
Leckwith Pl. Card —4F 29
Leckwith Rd. Leck —1F 33
Leckwith Rd. L'dgh —3G 33
Ledbrooke Clo. C'brn —6C 48
Ledbury Dri. Newp —5F 57
Leechpool. Pskwt —2H 67
Lee Clo. Din P —1B 38
Lee Clo. L'dyrn —3D 22
Lee Ct. Card —4E 13
Lee Rd. Barry —1G 41
Lee St. P'prdd —2B 4
Lee Way. Newp —3D 64
Leeway Ct. Lee I —4D 64
Leicester Dri. G'mdw —4A 48
Leicester Rd. Newp —5H 57
Leigh Rd. Trev —1A 44
Leighton Ct. St D —5C 48
Lennard St. Newp —1H 63
Lennox Grn. Barry —1B 42
Leon Av. Taf W —2E 11
Leslie Grn Ct. Duf —5C 62
Leslie Ter. Roger —1G 61
Letterston Rd. Rum —3A 24
Letton Rd. Card —6B 30
Lettons Way. Din P —1A 38
Letty St. Card —1A 30
Leven Clo. Card —2B 22
Lewis Clo. Newp —2F 63
Lewis Dri. Caer —2C 8
Lewis Rd. Card —5D 30
Lewis Rd. L'dgh —4G 33
Lewis Rd. Ind. Est. Card —4D 30
Lewis St. Barry —3C 40
Lewis St. Card —4G 29
Lewis St. Chu V —5A 6
Lewis St. Graig —3C 4
Lewis St. Tref —4E 5
Lewis Ter. P'nydd —3A 44
Lewis Ter. P'prdd —1C 4
Lewis View. Roger —6G 55
Lewis Way. Bul —6F 69
Lewis Wood. P'nydd —2A 44
Leydene Clo. Ris —4B 60
Leyshon Clo. Taf W —1D 10
Leyshon St. P'prdd —4B 4
Libeneth Rd. Newp —1B 64
Library Clo. R'fln —6G 5
Library Rd. P'prdd —2C 4
Library St. Card —3F 29
Liddell Clo. Card —4H 15
Lidmore Rd. Barry —2C 40
Lighthouse Rd. Duf —5B 62
Lilac Clo. Card —6G 19
Lilburne Clo. Card —4G 15
Lilburne Dri. Newp —1A 64
Lilleshall St. Newp —1H 63
Lily St. Card —2C 30
Limebourne Ct. Card —4D 20
Lime Clo. Newp —3F 63
Lime Clo. Rad —3G 19
Lime Cres. Newp —1C 64
Lime Gro. Card —6F 19
Limekiln Rd. P'nydd —1A 44
Limeslade Clo. Card —2B 28
Limes, The. Undy —6F 65
Lime St. P'prdd —6G 5
Limewood Clo. St Me —6C 16
Lincoln Clo. Newp —5A 58
Lincoln Ct. C'ln —6E 53 (off Roman Way)
Lincoln Ct. L'dyrn —2D 22
Lincoln St. Card —3D 28
Lindbergh Clo. Newp —2B 64
Linden Av. Card —6C 22
Linden Clo. Bul —5E 69
Linden Gro. Caer —2F 9
Linden Gro. Rum —3H 23
Linden Rd. Newp —6B 58
Lindway Ct. Card —2D 28
Lingholm Clo. St Me —1D 24
Link Rd. New I —1G 47
Links Bus. Pk., The. St Me —5F 17
Links, The. Trev —2C 44
Linley Clo. Newp —5H 59
Linnet Clo. Card —6D 14
Linnet Rd. Cald —6C 66
Linton St. Newp —3G 63
Lionel Rd. Card —3D 28
Lionel Ter. R'fln —6F 5
Liscombe St. Newp —1B 64
Liscum Way. Barry —2A 36
Lisnagarvey Ct. Card —5B 12
Lister Grn. Newp —1D 56
Lisvane Rd. L'shn —4A 14
Lisvane St. Card —6H 21
Liswerry Clo. Llan —5H 49
Liswerry Dri. Llan —5G 49
Lit. Brynhill La. Barry —1B 36
Littlecroft Av. Card —3B 28
Littledene. G'mdw —4B 48
Lit. Dock St. P'rth —6B 34
Lit. Mill. Whit —4C 20
Lit. Moors Hill. Barry —1A 42
Lit. Oaks View. Roger —5F 55
Lit. Orchard. Din P —2C 38
Littleton St. Card —4G 29
Livale Clo. Bet —1B 56
Livale Ct. Bet —1B 56
Livale Rd. Bet —1B 56
Livale Wlk. Bet —1B 56
Liverpool St. Newp —5H 57
Livingstone Pl. Newp —6H 57
Llanarth Sq. Ris —6C 60
Llanarth St. Newp —1F 63
Llanbedr Rd. Card —2A 28
Llanberis Clo. Tont —3A 6
Llanbleddian Gdns. Card —2A 30
Llanbradach St. Card —6H 29
Llanbradach St. P'prdd —2B 4
Llancaiach Rd. Card —3D 20
Llandaff Arc. Card —3B 30
Llandaff Chase. L'dff —6B 20
Llandaff Clo. P'rth —3G 39
Llandaff Ct. Card —1C 28
Llandaff Grn. C'brn —3E 49
Llandaff Pl. Card —2E 29
Llandaff Rd. Card —2E 29
Llandaff Sq. St Me —6B 16
Llandaff St. Newp —2D 62
Llandegefedd Way. New I —1H 47
Llandegfedd Clo. Roger —4G 55 (in two parts)
Llan Degfedd Clo. Thorn —2H 13
Llandegveth Clo. C'iog —1H 49
Llandennis Av. Card —1B 22
Llandennis Grn. Card —1B 22
Llandennis Rd. Card —1A 22
Llandenny Rd. Magor —6D 64
Llandenny Wlk. C'brn —4E 49
Llanderfel Ct. Thorn —2B 48
Llandetty Rd. Card —2A 28
Llandilo Clo. Din P —2C 38
Llandinam Cres. Card —6D 20
Llandinam Rd. Barry —2E 41
Llandogo Rd. St Me —6D 16
Llandough Hill. L'dgh —4H 33
Llandough Trad. Est. Card —3H 33
Llandovery Clo. Card —5G 27
Llandow Rd. Card —5H 27
Llandraw Woods. P'prdd —2A 4
Llandudno Rd. Rum —3A 24
Llandyfrig Clo. Din P —2C 38
Llanedeyrn Clo. Cyn —4D 22
Llanedeyrn Dri. L'dyrn —1E 23
Llanedeyrn Rd. Cyn —5D 22
Llanerch Clo. Wain —4A 44
Llanerch Path. F'wtr —5B 48
Llanewrwg Way. St Me —6C 16
Llanfabon Dri. Tret —1H 9
Llanfair Rd. Card —2E 29
Llanfair Rd. P'prdd —3B 4
Llanfedw Clo. Caer —2H 9
Llanfrechfa Way. C'brn —5F 49
Llangalm Pl. Rum —3A 24
Llangattock Rd. Card —2A 28
Llangefni Pl. L'shn —4H 13
Llangorse Dri. Roger —4F 55
Llangorse Path. Llan —6G 49
Llangorse Rd. Card —6C 14
Llangorse Rd. Llan —5G 49
Llangranog Pl. L'shn —4F 13
Llangranog Rd. L'shn —4F 13
Llangybi Clo. Card —6D 26
Llangynidr Rd. Card —2A 28
Llanidloes Rd. Card —5D 20
Llanina Gro. Rum —2C 24
Llanishen St. Card —5H 21
Llanmaes St. Card —1B 34
Llanmorlais Rd. Card —6E 21
Llanon. C'iog —1F 49
Llanon Rd. L'shn —4G 13
Llanough St. Card —2A 30
Llanover Clo. Newp —2D 56
Llanover Rd. Card —6D 26
Llanover Rd. P'prdd —1D 4
Llanover St. Barry —1H 41
Llanover St. P'prdd —2D 4
Llanrumney Av. L'rmy —3H 23
Llansannor Dri. Card —5C 30
Llanshen Ct. L'shn —5H 13
Llanstephan Rd. Rum —4A 24
Llantarnam By-Pass. Llant —4A 52
Llantarnam Clo. C'brn —6F 49
Llantarnam Ind. Est. LLan I —2H 51
Llantarnam Ind. Pk. Llan I —2G 51
Llantarnam Pk. Way. Llan I —2G 51
Llantarnam Rd. Card —5F 21
Llantarnam Rd. Llant —5F 49
Llanthewy Clo. C'iog —1H 49
Llanthewy Rd. Newp —1D 62
Llanthony Clo. Cald —4D 66
Llantrisant Rise. Card —5B 20
Llantrisant Rd. Card —3A 18
Llantrisant Rd. Graig —6A 4
Llantrisant St. Card —1H 29
Llantwit Rd. Tref —5E 5
Llantwit St. Card —2B 30
Llanvair Rd. Newp —5G 57
Llanwern Rd. Card —4G 27
Llanwern Rd. Magor —6D 64
Llanwern Rd. Newp —4F 59
Llanwern St. Newp —6H 57
Llanwonno Clo. P'prdd —1A 4
Llanwonno Rd. P'wen —1A 4
Llan-yr-Avon Sq. Llan —5G 49
Llan-yr-Avon Way. Llan —5G 49
Llewellyn Av. Card —3F 27
Llewellyn Dri. Caer —3D 8
Llewellyn St. Barry —1G 41
Llewelyn St. P'prdd —1A 4
Llewwellin St. Newp —6B 58
Llew-y-Dor Ct. C'ln —1C 58 (off Tram Rd.)
Lliswerry Pk. Dri. Newp —1D 64
Lliswerry Rd. Newp —2C 64
Lloyd Av. Barry —1E 41
Lloyd Av. Card —2B 28
Lloyd St. Newp —2B 64
Llwelyn Rd. C'brn —3E 49
Llwyd Coed. Card —4B 12
Llwyd-y-Berth. Caer —5B 8
Llwyn Bryn Melyn. Rad —1E 19
Llwyn Castan. Card —6E 15
Llwyn Celyn. Two L —6D 48
Llwyn Deri Clo. Bass —3D 60
Llwynderi Rd. Newp —1D 62
Llwynderw Rd. Card —4F 21
Llwyn Drysgol. Rad —1E 19
Llwyn Eithan. Caer —2G 9
Llwynfedw Gdns. Card —2F 21
Llwynfedw Rd. Card —2E 21
Llwyn Grug. Card —5E 13
Llwynmadoc St. P'prdd —2B 4
Llwyn Malli. Tong —5H 11
Llwyn-on Clo. Caer —3C 8
Llwyn Onn. Card —4C 12
Llwyn Onn. C'iog —3H 49
Llwyn-on St. Caer —3C 8
Llwynpia Cotts. Tong —5F 11
Llwyn Rhosyn. Card —5E 13
Llwyn-y-Grant Pl. P'lan —5D 22
Llwyn-y-Grant Rd. P'lan —5D 22
Llwyn-y-Grant Ter. P'lan —5D 22
Llwyn-y-Pia Rd. L'vne —2B 14
Llyn Berwyn Clo. Roger —5G 55
Llyn Celyn Clo. Roger —4G 55
Llyn Clo. Card —2B 22
Llys Celin. Tont —4B 6
Llys Corrwg. R'fln —6H 5
Llys Gwyrdd. H'lys —2B 50
Llys Hafen. Taf W —2E 11
Llys Nant Pandy. Caer —3D 8
Llys Pum Cyfair. Card —5E 21
Llys Tal-y-Bont. Card —6F 21
Llys Tal-y-Bont Rd. Card —6G 21
Llyswen Rd. Card —1B 22
Llyswen Wlk. Llan —6G 49
Llys-y-Celyn. Caer —2F 9
Llys-y-Fedwen. Caer —3F 9
Lochaber St. Card —6C 22
Locke St. Newp —6E 57
Locks Rd. Card —3E 35
Lock Ter. P'prdd —1D 4
Lodden Clo. Bet —1B 56
Lodge Av. C'ln —6F 53
Lodge Clo. L'vne —1A 14
Lodge Hill. C'ln —6E 53
Lodge Hill. L'wrn —6H 59
Lodge Rd. C'ln —1H 57
Lodge Way. Pskwt —5F 67
Lodge Wood. P'mle —6E 45
Loftus St. Card —3D 28
Lombard St. Barry —2F 41
Lomond Cres. Card —2C 22
Loncae Porth. Card —4E 13
London St. Newp —6H 57
Lon Fach. Caer —5C 8
Lon Fach. Card —6D 12
Lon Fawr. Caer —5C 8
Long Acre. F'wtr —6B 48
Longacre Clo. Barry —5F 37
Lon Ganol. Card —6D 12
Longbridge. P'hir —3E 53
Longcroft Rd. Cald —5C 66
Longcross Ct. Card —3C 30
Longcross St. Card —3C 30
Longditch Rd. Q Mead —4E 65
Longfellow Clo. Cald —5B 66
Longfellow Ct. Cald —6B 66
Longfellow Pl. Cald —6B 66
Longfellow Rd. Cald —5B 66
Long Hollow. C'brn —3E 49
Longhouse Clo. L'vne —3A 14
Longhouse Gro. H'lys —1A 50
Longleat Clo. L'vne —3B 14
Longmeadow Ct. Lis —2D 64
Long Meadow Dri. Barry —6B 36
Longmeadow Dri. Din P —3B 38
Longreach Clo. Card —5D 26
Long Row. P'pool —1B 46
Long Row. P'prdd —5E 5 (off Park St.)
Longships Rd. Card —4F 35
Longspears Av. Card —4G 21
Long Wood Dri. Card —1G 19
Lon Hafren. Caer —6C 8
Lon Helyg. C'iog —3H 49
Lon Heulog. P'prdd —1B 6
Lon Isa. Card —6D 12
Lon Isaf. Caer —5C 8
Lon Madoc. Card —3E 21
Lon Nant. P'run —2F 49
Lon Owain. Card —6F 27
Lon Penllyn. Card —1D 20
Lon Robin Goch. Caer —4B 8
Lonsdale Rd. Cyn —4E 23
Lon Ty'n-y-cae. Card —1E 21
Lon Ty'n-y-Cae Gro. Card —1E 21

Lon Ucha—Meadow Vale

Lon Ucha. *Card* —6D **12**
Lon Uchaf. *Caer* —5C **8**
Lon Werdd. *Card* —4E **27**
Lon Werdd Clo. *Card* —4E **27**
Lon-y-Barri. *Caer* —2C **8**
(in two parts)
Lon-y-Castell. *Card* —6G **27**
Lon-y-Celyn. *Card* —1B **20**
Lon-y-Dail. *Card* —6D **12**
Lon-y-Dderwen. *Card* —6D **12**
Lon-y-Ddragnen. *Caer* —5C **8**
Lon-y-Deri. *Caer* —5C **8**
Lon-y-Deri. *Card* —6D **12**
Lon-y-Ffin. *Card* —4E **27**
Lon-y-Fran. *Caer* —4B **8**
Lon-y-Fro. *P'rch* —5A **10**
Lon-y-Garwa. *Caer* —6C **8**
Lon-y-Gors. *Caer* —5B **8**
Lon-y-Groes. *Card* —3F **21**
Lon-y-Llyn. *Caer* —5C **8**
Lon-y-Mynydd. *Card* —6E **13**
Lon y Nant. *Card* —6F **13**
Lon-y-Parc. *Card* —2D **20**
Lon-yr-Efail. *Card* —6F **27**
Lon-y-Rhedyn. *Caer* —5B **8**
(in two parts)
Lon-y-Rhyd. *Card* —6D **12**
Lon yr Odyn. *Caer* —4F **9**
Lon-Ysgubor. *Card* —5D **12**
Lon y Tresglen. *Caer* —4B **8**
Lon-y-Twyn. *Caer* —5E **9**
Lon-y-Waun. *Caer* —5B **8**
Lon-y-Wern. *Caer* —5C **8**
Lon-y-Winci. *Card* —5D **12**
Loop Rd. *B'ly* —4H **69**
Lord Eldon Dri. *Bul* —6F **69**
Lord St. *Newp* —5G **57**
Lord St. *P'rth* —6D **34**
Loss Clo. *P'prdd* —5B **4**
Lothian Cres. *P'lan* —4D **22**
Loudoun Sq. *Card* —6B **30**
Louisa Pl. *Card* —1D **34**
Love La. *Card* —4B **30**
Lowdon Ter. *Barry* —2E **41**
Lwr. Acre. *Card* —6F **27**
Lwr. Alma Ter. *P'prdd* —3D **4**
Lwr. Bridge St. *P'pool* —5C **44**
Lwr. Cathedral Rd. *Card* —4H **29**
Lwr. Church St. *Chep* —1F **69**
Lwr. Dock St. *Newp* —1F **63**
Lwr. Guthrie St. *Barry* —2G **41**
Lwr. Holmes St. *Barry* —1A **42**
Lwr. Morel St. *Barry* —2G **41**
Lwr. Park Gdns. *P'garn* —4C **44**
Lwr. Park Ter. *P'pool* —5C **44**
Lwr. Pyke St. *Barry* —2G **41**
Lwr. Rhymney Valley Relief Rd. *Caer* —1C **8**
Lwr. Taff View. *P'prdd* —1E **5**
Lwr. Wyndham Ter. *Ris* —2A **54**
Lowfield Dri. *Thorn* —2F **13**
Lowland Dri. *Tont* —4B **6**
Lowlands Cres. *Pnwd* —1D **48**
Lowlands Rd. *Pnwd* —1E **49**
Lowndes Clo. *Bass* —2E **61**
Lowther Ct. *Card* —2B **30**
Lowther Rd. *Card* —2B **30**
Lucas Clo. *Barry* —5E **37**
Lucas St. *Card* —6A **22**
Lucas St. *Newp* —5E **57**
Lucknow St. *Card* —6G **29**
Ludlow Clo. *Card* —1C **34**
Ludlow Clo. *Llan* —6H **49**
(in two parts)
Ludlow Clo. *Newp* —1A **64**
Ludlow La. *P'rth* —1G **39**
Ludlow St. *Caer* —5D **8**
Ludlow St. *Card* —1B **34**
Ludlow St. *P'rth* —1G **39**
Lulworth Rd. *C'ln* —2D **58**
Lundy Clo. *L'shn* —5G **13**
Lundy Dri. *St Ju* —5A **58**
Lydford Clo. *Card* —1D **20**
Lydstep Cres. *Card* —6D **20**
Lydstep Flats. *Card* —5D **20**
Lydstep Rd. *Barry* —6B **36**
Lynch Blosse Clo. *Card* —5A **20**
Lyncroft. *G'mdw* —4B **48**
Lyncroft Clo. *St Me* —5B **16**
Lyndhurst Av. *Newp* —3C **62**
Lyndhurst St. *Card* —4F **29**
Lyndon Way. *Roger* —6G **55**
Lyne Rd. *Newp* —4F **57**
Lyne Rd. *Ris* —6C **60**
Lynmouth Cres. *Rum* —4G **23**
Lynmouth Dri. *Sul* —3E **43**
Lyn Pac Trad. Est. *P'run* —1E **49**
Lynton Clo. *L'rmy* —3H **23**
Lynton Clo. *Sul* —2F **43**
Lynton Pl. *L'rmy* —3H **23**
Lynton Ter. *L'rmy* —3G **23**
Lynwood Ct. *Card* —2C **30**
Lyon Clo. *Card* —2H **33**
Lyric Way. *Thorn* —3G **13**

Maberly Clo. *L'shn* —6A **14**
Macaulay Av. *L'rmy* —6H **15**
Macauley Gdns. *Newp* —4B **62**
McCale Av. *Card* —2A **28**
McCarthy's Ct. *Newp* —1F **63**
Macdonald Clo. *Card* —5E **27**
Macdonald Pl. *Card* —5E **27**
Macdonald Rd. *Card* —5E **27**
Machen Clo. *Ris* —2A **54**
Machen Clo. *St Me* —6E **17**
Machen Pl. *Card* —4G **29**
Machen St. *Card* —6G **29**
Machen St. *P'rth* —1F **39**
Machen St. *Ris* —5B **60**
Machine Meadow. *P'nydd* —2A **44**
Mackintosh Pl. *Card* —6B **22**
Mackintosh Rd. *P'prdd* —2D **4**
McQuade Pl. *Barry* —5E **41**
Madoc Clo. *Din P* —2C **38**
Madocke Rd. *Sed* —3G **69**
Madoc Rd. *Card* —3F **31**
Madoc St. *P'prdd* —3C **4**
Maelfa. *L'dyrn* —3E **23**
Maelog Pl. *Card* —6G **21**
Maelog Rd. *Card* —3E **21**
Maendy Pl. *Pnwd* —1C **48**
Maendy Rd. *P'cae* —5B **4**
Maendy Sq. *Pnwd* —1C **48**
Maendy Way. *Pnwd* —1C **48**
Maendy Wood Rise. *Pnwd* —2C **48**
Maerdy Clo. *Newp* —4C **62**
Maerdy La. *L'vne* —3C **14**
Maes Briallu. *Caer* —3G **9**
Maesderwen Cres. *P'mle* —6D **44**
Maesderwen Rise. *Grif* —6D **44**
Maesderwen Rd. *P'mle* —6D **44**
Maes Ganol. *P'prdd* —1D **6**
Maes Glas. *Caer* —5F **9**
Maes Glas. *Card* —4C **20**
Maesglas Av. *Newp* —4C **62**
Maesglas Cres. *Newp* —4C **62**
Maesglas Gro. *Newp* —5C **62**
Maesglas Ind. Est. *Newp* —4E **63**
Maesglas Retail Pk. *Newp* —4E **63**
Maesglas Rd. *Newp* —4C **62**
Maesglas St. *Newp* —5C **62**
Maes Gwyn. *Caer* —5E **9**
Maesgwyn. *Pnwd* —1D **48**
Maes Hir. *Caer* —2C **8**
Maesteg Cres. *Tont* —4B **6**
Maesteg Gdns. *Tont* —4B **6**
Maesteg Gro. *Tont* —4B **6**
Maes Uchaf. *R'fln* —1D **6**
Maes-y-Bryn. *Rad* —6F **11**
Maes-y-Bryn Rd. *Rum* —1G **15**
Maes-y-Celyn. *Grif* —1D **46**
Maes-y-Coed. *Barry* —5B **40**
Maes-y-Coed Rd. *Card* —1F **21**
Maesycoed Rd. *P'prdd* —2B **4**
Maes-y-Crochan. *St Me* —6F **17**
Maes-y-Cwm St. *Barry* —2F **41**
Maes-y-Deri. *Card* —6D **12**
Maes-y-Deri. *G'wen* —1B **4**
Maes y Draenog. *Tong* —3H **11**
Maes-y-Drudwen. *Caer* —5B **8**
Maes-y-Felin. *Caer* —4E **9**
Maes-y-Felin. *Card* —1D **20**
Maes y Felin. *R'fln* —1D **6**
Maes y Hedydd. *Card* —3F **15**
Maes y Parc. *Card* —1D **20**
Maes-yr-Afon. *Caer* —2G **9**
Maes yr Awel. *P'prdd* —1D **6**
Maes yr Awel. *Rad* —1F **19**
Maes Yr Haf. *Card* —5B **12**
Maes-y-Sarn. *P'rch* —4A **10**
Maes-y-Siglen. *Caer* —4B **8**
Mafeking Rd. *Card* —6C **22**
Magellan Clo. *Barry* —5C **36**
Magnolia Clo. *Bul* —5F **69**
Magnolia Clo. *Card* —6D **14**
Magnolia Clo. *Newp* —6A **52**
Magor St. *Newp* —2A **64**
Maillard's Haven *P'rth* —4G **39**
Main Av. *Card* —6E **23**
Main Av. *Tref I* —3E **7**
Maindee Pde. *Newp* —5H **57**
Maindee Ter. *Pnwd* —2D **48**
Maindy Ct. *Chu V* —4A **6**
Maindy Rd. *Card* —6G **21**
Main Rd. *Chu V & Tont* —5A **6**
Main Rd. *Magor* —6F **65**
Main Rd. *Morg* —1D **10**
Main Rd. *Pskwt* —5G **67**
Main St. *Barry* —6D **36**
Maitland St. *Card* —5G **21**
Major Clo. *T Can* —5A **48**
Major Rd. *Card* —4F **29**
Malcolm Sargent Clo. *Newp* —1E **65**
Maldwyn St. *Card* —2F **29**
Malefant St. *Card* —6A **22**
Mallard Av. *Cald* —6C **66**
Mallard Clo. *St Me* —6C **16**
Mallards Reach. *M'fld* —4G **17**
Mallard Way. *Duf* —6C **62**
Mallard Way. *P'rth* —6G **39**
Mall, The. *C'brn* —4E **49**
Malmesbury Clo. *Newp* —5F **57**
Malmesmead Rd. *L'rmy* —6A **16**
Malpas Clo. *St Me* —6D **16**
Malpas La. *Newp* —3E **57**
Malpas Rd. *Newp* —3D **56**
(in four parts)
Malpas St. *C'brn* —5E **49**
Malthouse Av. *Card* —3G **15**
Malthouse La. *C'ln* —4D **52**
Malthouse La. *P'pool* —4B **44**
Malthouse Rd. *Llant* —4H **51**
Maltings, The. *Card* —4D **30**
Maltings, The. *P'wyn* —4F **15**
Malvern Clo. *Newp* —3B **58**
Malvern Clo. *Ris* —2C **54**
Malvern Dri. *L'shn* —6G **13**
Malvern Rd. *Newp* —6G **57**
Malvern Ter. *Ris* —6C **60**
Manchester St. *Newp* —5G **57**
Mandeville Pl. *Card* —4G **29**
Mandeville St. *Card* —4G **29**
Manitoba Clo. *Card* —2C **22**
Manley Rd. *Newp* —1D **62**
Manod Rd. *Card* —5C **20**
Manorbier Clo. *Din P* —2C **38**
Manorbier Clo. *Tont* —3A **6**
Manorbier Ct. *Barry* —5B **36**
Manorbier Cres. *Rum* —3A **24**
Manorbier Dri. *Llan* —4G **49**
Manor Chase. *Undy* —6H **65**
Manor Clo. *Card* —2D **20**
Manor Ct. *Chu V* —4A **6**
Manor Ct. *Ris* —1A **54**
Manor Ga. *G'mdw* —4B **48**
Manor Rise. *Card* —3E **21**
Manor Rd. *Ris* —2A **54**
Manor St. *Card* —5H **21**
Manor Way. *Card* —2E **21**
Manor Way. *Chep* —2E **69**
Manor Way. *Pskwt* —5G **67**
Manor Way. *Ris* —2A **54**
Mansell Av. *Card* —5D **26**
Mansel St. *Newp* —6B **58**
Mansfield St. *Card* —4G **29**
Manston Clo. *Card* —5A **20**
Maple Av. *Bul* —4D **68**
Maple Av. *Newp* —1C **64**
Maple Av. *Ris* —1A **54**
Maple Clo. *Barry* —6C **36**
Maple Clo. *Cald* —4C **66**
Maple Cres. *Grif* —4D **46**
Maple Gdns. *Ris* —3B **54**
Maple Rd. *Card* —6F **19**
Maple Rd. *Grif* —3D **46**
Maple Rd. *P'rth* —2E **39**
Maple Rd. S. *Grif* —4D **46**
Maple St. *P'prdd* —6G **5**
Maple Tree Clo. *Rad* —1E **19**
Maplewood Av. *Card* —4B **20**
Marchwood Clo. *Rum* —2A **24**
Marconi Clo. *Newp* —1C **56**
Marcross Rd. *Card* —5E **27**
Mardy Clo. *Caer* —4F **9**
Mardy Cres. *Caer* —4F **9**
Mardy Rd. *Rum* —5B **24**
Mardy St. *Card* —5H **29**
Margam Rd. *Card* —5F **21**
Margaret Av. *Barry* —4B **36**
Margaret Av. *Newp* —4G **57**
Margaret St. *Hop* —1A **4**
Margretts Way. *Cald* —4C **66**
Maria Ct. *Card* —5B **30**
Maria St. *Card* —5B **30**
Marigold Clo. *Roger* —5C **54**
Marina Ct. *Newp* —2H **57**
Marine Dri. *Barry* —5A **40**
Marine Pde. *P'rth* —3H **39**
Mariner's Heights. *P'rth* —6D **34**
Mariners Reach. *Bul* —6G **69**
Mariner Way. *Newp* —4H **63**
Marine Ter. *Sud* —6H **67**
Marion Ct. *L'shn* —4A **14**
Marion Pl. *Newp* —3G **63**
Marion St. *Card* —3E **31**
Marion St. *Newp* —3F **63**
Marionville Gdns. *Card* —1A **28**
Maritime Ind. Est. *P'prdd* —4B **4**
Maritime Rd. *Card* —1E **35**
Maritime St. *P'prdd* —3B **4**
Maritime Ter. *P'prdd* —3B **4**
Market Arc. *Newp* —6F **57**
Market Pl. *Card* —3F **29**
Market Rd. *Can* —3E **29**
Market St. *Barry* —4D **40**
Market St. *Caer* —5E **9**
Market St. *Newp* —6F **57**
Market St. *P'pool* —5C **44**
Market St. *P'prdd* —2C **4**
Market St. *Tong* —4G **11**
Market, The. *P'prdd* —2C **4**
Mark St. *Card* —4H **29**
Marland Ho. *Card* —4A **30**
Marlborough Clo. *Barry* —6E **37**
Marlborough Ho. *Card* —4A **30**
Marlborough Rd. *Card* —6C **22**
Marlborough Rd. *G'mdw* —4A **48**
Marlborough Rd. *Newp* —6G **57**
Marlborough Ter. *Card* —1G **29**
Marl Ct. *Card* —2B **34**
Marl Ct. *Thorn* —2B **48**
Marloes Clo. *Barry* —6B **36**
Marloes Path. *G'mdw* —4B **48**
Marloes Rd. *Card* —4F **27**
Marlow Clo. *Roger* —5G **55**
Marlowe Gdns. *Newp* —4B **62**
Marquis Clo. *Barry* —5G **41**
Marryat Wlk. *Newp* —4B **62**
Marshall Clo. *Card* —5A **20**
Marsham Ct. *Rad* —2G **19**
Marshfield Rd. *Cas* —2G **17**
Marshfield St. *Newp* —2A **64**
Marsh Rd. *Bul* —5F **69**
Marston Ct. *Newp* —4E **57**
Marston Path. *St D* —5C **48**
Marten Rd. *Bul* —4E **69**
Martindale Rd. *Grif* —3E **47**
Martin Rd. *Trem* —5G **31**
Martins Rd. *C'wnt* —1B **66**
Martins, The. *Tut* —1G **69**
Mary Ann St. *Card* —4B **30**
Maryland Rd. *Ris* —6C **60**
Maryport Rd. *Card* —5B **22**
Marysfield Clo. *M'fld* —5H **17**
Mary St. *Card* —5B **20**
Masefield Rd. *Cald* —6B **66**
Masefield Rd. *P'rth* —1E **39**
Masefield Vale. *Newp* —3B **62**
Masefield Way. *P'prdd* —5G **5**
Mathern Cres. *Math* —6B **68**
Mathern Rd. *Math* —6C **68**
Mathern Way. *Bul* —4E **69**
Mathew Wlk. *Card* —5H **19**
Mathias Clo. *P'lan* —6E **23**
Matthew Ter. *Din P* —6H **33**
Maugham Clo. *Newp* —4C **62**
Maughan La. *P'rth* —6D **34**
Maughan Ter. *P'rth* —6D **34**
Maureen Av. *Card* —3H **27**
Mavis Gro. *Card* —1F **21**
Maxton Ct. *Caer* —4F **9**
Maxwell Rd. *Rum* —3A **24**
Mayfair Dri. *Thorn* —2G **13**
Mayfield Av. *Card* —3C **28**
Mayfield Rd. *P'prdd* —1B **4**
Mayflower Av. *L'shn* —4F **13**
Mayhill Clo. *Thorn* —2H **13**
Maynard Ct. *Card* —1C **28**
Maynes. *F'wtr* —6B **48**
May St. *Card* —6A **22**
(in two parts)
May St. *Newp* —6H **57**
Mead La. *C'brn* —3E **49**
Meadowbank Ct. *Card* —5H **19**
Meadowbrook Av. *Pnwd* —1D **48**
Meadow Clo. *Card* —5D **14**
Meadow Clo. *Seb* —5E **47**
Meadow Cres. *Caer* —5E **9**
Meadow Cres. *Ris* —3B **54**
Meadow Cres. *Tont* —4B **6**
Meadowgate Clo. *Card* —6B **12**
Meadowland Dri. *Roger* —4B **54**
Meadow La. *C'iog* —2H **49**
Meadow La. *P'rth* —4F **39**
Meadowlark Clo. *St Me* —6C **16**
Meadow Rise. *Undy* —5F **65**
Meadowside. *P'rth* —2D **38**
Meadows, The. *M'fld* —4H **17**
Meadow St. *Card* —2E **29**
Meadow St. *Tref* —5E **5**
Meadowsweet Dri. *St Me* —1E **25**
Meadow, The. *Magor* —6E **65**
Meadow Vale. *Barry* —5E **37**

Newfoundland Rd. *Card*
　—5G 21
Newgale Clo. *Barry* —5B 36
Newgale Pl. *Card* —5H 27
Newgale Row. *C'brn* —4F 49
New Ho. Ct. *Barry* —6D 36
Newhouse Farm Ind. Est.
　Math —6F 69
New Houses. P'prdd —2C 4
(off Coedpenmaen Rd.)
New Inn Cen. *P'prdd* —2C 4
Newlands Ct. *L'shn* —4A 14
Newlands Ct. *P'yndd* —2A 44
Newlands St. *Barry* —2F 41
Newman Clo. *Newp* —6G 59
Newman Rd. *Trev* —2B 44
Newminster Rd. *Card* —1E 31
Newnham Pl. *C'brn* —4E 49
New Pk. Ct. *P'prdd* —4E 5
New Pk. Ter. *P'prdd* —4E 5
New Pk. Ris *Ris* —4A 60
New Pastures. *Newp* —3D 62
Newport Arc. Newp —6E 57
(off High St. Newport,)
Newport Ind. Est. *Newp*
　—4E 65
Newport Retail Pk. *Newp*
　—3E 65
Newport Rd. *B'ws* —2F 9
Newport Rd. *Cald* —5B 66
Newport Rd. *Card & St Me*
　—3B 30
Newport Rd. *Chep* —6A 68
Newport Rd. *Llant* —3D 64
Newport Rd. *Magor* —5D 64
Newport Rd. *New I* —4G 47
Newport Rd. *Ris* —3A 54
Newport Rd. La. *Card* —3C 30
Newport St. *Card* —1C 34
New Quay Rd. *Newp* —5H 63
New Rd. *C'ln* —2D 58
New Rd. *Cald* —5B 66
New Rd. *Grif* —2E 47
New Rd. *Rum* —5G 23
New Ruperra St. *Newp*
　—2F 63
New St. *Caer* —1C 8
New St. *Newp* —3G 63
New St. *Pnwd* —2E 49
Newton Rd. *G'twn* —5F 29
Newton Rd. *Rum* —4C 24
Newton St. *Barry* —1H 41
Newton Way. *Newp* —1C 56
Newton Wynd. *F'wtr* —6D 8
Newtown Ct. *Card* —4C 30
Newydd Ct. *Tong* —5H 11
New Zealand Rd. *Card*
　—6G 21
Neyland Clo. *Tont* —3A 6
Neyland Ct. *Barry* —5B 36
Neyland Path. *F'wtr* —5B 8
Neyland Pl. *Card* —5H 27
Niagara St. *P'prdd* —3D 4
Nicholas St. *P'pool* —5C 44
Nicholson Webb Clo. *Card*
　—4H 19
Nidd Clo. *Bet* —2H 55
Nidd Wlk. *Bet* —2H 55
(off Ogmore Cres.)
Nightingale Clo. *Cald* —6D 66
Nightingale Clo. *Duf* —6B 62
Nightingale Pl. *Din P* —2C 38
Nightingale's Bush. *P'prdd*
　—3E 5
Nightingale Ter. *P'nydd*
　—3A 44
Nile St. *P'prdd* —3D 4
Ninian Pk. Rd. *Card* —4F 29
Ninian Rd. *Card* —5B 22
Nolton Pl. *C'brn* —6C 48
Nora Ct. *Card* —2D 30
Norbury Av. *Card* —2A 28
Norbury Ct. *Card* —2A 28
Norbury Rd. *Card* —2A 28
Nordale Rise. *Barry* —1A 42
Norfolk Clo. *G'mdw* —4A 48
Norfolk Rd. *Newp* —5A 58
Norfolk St. *Card* —3D 28

Norman Ct. *Cald* —5C 66
Normandy Way. *Chep*
　—1D 68
Norman Rd. *Card* —3D 20
Norman St. *C'ln* —1C 58
Norman St. *Card* —1B 30
Norman Ter. *C'ln* —1D 58
Norman Way. *Pskwt* —6F 67
Norris Clo. *P'rth* —6H 33
Norse Way. *Sed* —3H 69
Northam Av. *L'rmy* —2G 23
N. Church St. *Card* —5B 30
Northcliffe. *P'rth* —6D 34
Northcliffe Dri. *P'rth* —6D 34
N. Clive St. *Card* —6G 29
Northcote La. *Card* —2B 30
Northcote Ter. *Barry* —1A 42
North Ct. *P'nydd* —2A 44
N. Edward St. *Card* —3B 30
Northfield Clo. *C'ln* —5E 53
Northfield Rd. *C'ln* —5F 53
Northlands. *Rum* —5A 24
N. Luton Pl. *Card* —4C 30
N. Morgan St. *Card* —3G 29
North Pk. Rd. *Card* —3E 31
N. Pentwyn Link Rd. *Card*
　—5H 15
North Rise. *Card* —4A 14
North Rd. *Abers* —1A 44
North Rd. *Card* —4F 21
North Rd. *C'iog* —1G 49
North Rd. *P'pool* —5B 44
North Rd. *Sul* —1C 42
N. Ruperra St. *Newp* —2F 63
North St. *Aber* —6H 29
North St. *Newp* —6E 57
North St. *P'rth* —1D 4
Northumberland Rd. *Newp*
　—5A 58
Northumberland St. *Card*
　—4E 29
North View. *Taf W* —1F 11
N. View Ter. *Caer* —4E 9
North Wlk. *Barry* —1D 40
North Wlk. *C'brn* —3E 49
Northway. *P'pool* —1H 45
Norton Av. *Card* —3F 21
Norwich Rd. *Card* —6F 23
Norwood. *Thorn* —3H 13
Norwood Ct. *Card* —2C 30
Norwood Cres. *Barry* —6E 37
Nottage Rd. *Card* —5G 27
Nottingham St. *Card* —3D 28
Novello Wlk. *Newp* —6F 59
Nuns Cres. *P'prdd* —1B 4
Nursery Cotts. *Din P* —3H 37
Nursery Ind. Est. *Chep*
　—2F 69
Nursery Rise. *B'ws* —1F 9

Oak Clo. *Bul* —5E 69
Oak Clo. *Magor* —6F 65
Oak Ct. *P'rth* —3E 39
Oak Ct. P'yndd —2A 44
(off George St.)
Oak Ct. *Tong* —3H 11
Oakdale Clo. *C'ln* —1A 58
Oakdale Path. *St D* —5C 48
Oakdale Pl. *P'nydd* —3A 44
Oakdene Clo. *Card* —3C 22
Oakfield. *C'ln* —6E 53
Oakfield Av. *Chep* —1D 68
Oakfield Cres. *Tont* —4G 6
Oakfield Gdns. *Newp* —1D 62
Oakfield Rd. *Barry* —6B 36
Oakfield Rd. *Newp* —1C 62
Oakfield Rd. *Oakf* —6F 49
Oakfields. *M'fld* —4H 17
Oakfield St. *Card* —2C 30
Oakford Clo. *Card* —4E 15
Oak Ho. *Whit* —1A 20
Oaklands. *Din P* —1A 38
Oaklands. *P'hir* —3D 52
Oaklands St Me —6C 16
Oaklands Pk. *Pskwt* —5G 67

Oaklands Pk. Dri. *R'drn*
　—2D 60
Oaklands Rd. *Newp* —6A 58
Oaklands Rd. *Seb* —4D 46
Oaklands View. *G'mdw*
　—4A 48
Oakland Ter. *T Coc* —1F 51
Oakleafe Dri. *Card* —5E 15
Oakleigh Ct. *H'lys* —1A 50
Oakley Clo. *Cald* —4B 66
Oakley Pl. *Card* —1B 34
Oakley St. *Newp* —2A 64
Oakley Way. *Cald* —4B 66
Oakmead Clo. *Card* —4F 15
Oakmeadow Ct. *St Me*
　—6D 16
Oakmeadow Dri. *St Me*
　—1D 24
Oakridge. *Thorn* —2H 13
(East)
Oakridge. *Thorn* —2G 13
(West)
Oak Rd. *Roger* —5E 55
Oaks Clo. *Newp* —3D 62
Oaks Ct. *Abers* —1A 44
Oaksford. *C Eva* —5A 48
Oaks Rd. *Abers* —1A 44
Oaks, The. *C'iog* —2H 49
Oaks, The. *L'vn* —3B 14
Oak St. *C'brn* —5E 49
Oak St. *Newp* —3G 57
Oak St. *R'fln* —6G 5
Oak Tree Clo. *New I* —6G 45
Oak Tree Clo. *Rad* —1E 19
Oak Tree Ct. *Oakf* —6E 49
Oakway. *Card* —2G 27
Oak Wood Av. *Cyn* —5E 23
Oakwood Clo. *L'dgh* —5A 34
Oakwood St. *Tref* —6E 5
Oban St. *Barry* —1H 41
Ocean Way. *Card* —4D 30
Octagon, The. *Bul* —5F 69
Odet Ct. *Whit* —6A 12
O'Donnell Rd. *Barry* —6C 36
Offa's Clo. *Sed* —3G 69
Offway. *C Eva* —1D 50
Ogmore Clo. *Caer* —3A 8
Ogmore Cres. *Bet* —2H 55
Ogmore Pl. *Barry* —5C 36
Ogmore Pl. *Llan* —5H 49
Ogmore Rd. *Card* —5G 27
Ogwen Dri. *Card* —1B 22
Okehampton Av. *L'rmy*
　—5A 16
Old Bakery Ct. *P'rch* —4A 10
Old Barn. *Newp* —3A 58
Old Barn Ct. *Undy* —6H 65
Old Barry Rd. *P'rth* —5A 34
Old Bri. Ct. *Thorn* —2A 48
Oldbury Rd. *C'brn* —5E 49
Old Cardiff Rd. *Newp* —4C 62
(in two parts)
Old Chu. Rd. *Card* —2C 20
Old Clipper Rd. *Card* —1G 35
Old Est. Yard. *P'mle* —6E 45
Old Farm M. *Din P* —2A 38
Old Grn. Rd. *M'fld* —3H 17
Old Green Roundabout. *Newp*
　—6F 57
Old Hill. *C'ln* —3E 59
Oldhill. *St Me* —1B 24
Old Hill Cres. *C'chu* —4D 58
Old Hill, The. *Tut* —1F 69
Old Malt Ho. *Din P* —2A 38
Old Market. *Wen* —6B 32
Oldmill Rd. *Barry* —1A 42
Old Mill Rd. *L'vne* —3A 14
Old Nantgarw Rd. *N'grw*
　—5H 7
Old Newport Rd. *Card*
　—5D 16
Old Oak Clo. *Bul* —5F 69
Old Pk. Ter. *P'prdd* —4E 5
Old Port Rd. *Wen* —4A 32
Old School Pl. *P'nydd* —3A 44
Old Stone Rd. *Undy* —6G 65
Old Vicarage Clo. *L'shn*
　—5H 13

Old Village Rd. *Barry* —4C 40
Oldwell Ct. *Card* —5C 22
Oliphant Circ. *Newp* —6G 51
Oliver Rd. *Newp* —1B 64
Oliver St. *P'prdd* —2A 4
Oliver Ter. *P'prdd* —1E 5
Ollivant Clo. *Card* —4H 19
Olway Clo. *Llan* —5G 49
(in two parts)
Ombersley La. *Newp* —1C 62
Ombersley Rd. *Newp* —1C 62
O'Neal Av. *Newp* —5B 64
Ontario Way. *Card* —2C 22
Open Hearth Clo. *Grif*
　—3E 47
Orange Gro. *Card* —6G 19
Orbit St. *Card* —3C 30
Orchard Av. *Bul* —5E 69
Orchard Castle. *Thorn*
　—3F 13
Orchard Clo. *Bass* —2E 61
Orchard Clo. *Cald* —6C 66
Orchard Clo. *M'fld* —5H 17
Orchard Clo. *Trev* —1B 44
Orchard Clo. *Wen* —5B 32
Orchard Ct. *Thorn* —1H 13
Orchard Cres. *Din P* —2B 38
Orchard Dri. *Barry* —1F 41
Orchard Dri. *Card* —2C 20
Orchard Farm. *Trev* —2C 44
Orchard Farm Gro. *Sed*
　—3H 69
Orchard Gdns. *Chep* —1F 69
Orchard Gdns. *Pskwt*
　—5G 67
Orchard Gro. *Morg* —5F 11
Orchard La. *C'brn* —2E 49
Orchard La. *Newp* —4H 57
Orchard M. *Newp* —4G 57
Orchard Pk. *St Me* —6C 16
Orchard Pl. *Card* —3F 29
Orchard Pl. *C'brn* —5D 48
Orchard Rise. *P'rth* —1E 39
Orchard Rise. *Pwllm* —5B 68
Orchard Rd. *C'ln* —5F 53
Orchard St. *Newp* —4G 57
Orchard, The. *P'hir* —3E 53
Orchid Clo. *St Me* —1E 25
Orchid Ct. *T Can* —4A 48
Orchid Meadow. *Pwllm*
　—5B 68
Ordell St. *Card* —3D 30
Oregano Clo. *St Me* —5E 17
Oriel Rd. *Newp* —6H 57
Orion Ct. *Card* —3C 30
Ormerod Rd. *Sed* —3H 69
Ormonde Clo. *Cyn* —4E 23
Osborne Rd. *P'pool* —3B 44
Osborne Sq. *Card* —6G 29
Osbourne Clo. *Newp* —6H 57
Osprey Clo. *P'rth* —6G 39
Osprey Clo. *St Me* —5C 16
Osprey Ct. *Barry* —3F 41
Osprey Dri. *Cald* —6D 66
Oswald Rd. *Newp* —3F 63
(in two parts)
Oswestry Clo. *Rum* —4A 24
Othery Pl. *L'rmy* —5A 16
Otter Clo. *Bet* —1H 55
Ovington Ter. *Card* —2D 28
Owain Clo. *Card* —3C 22
Owain Cres. *P'rth* —2E 39
Owen Clo. *C'ln* —5F 53
Owendale Ter. *Abers* —1A 44
Owens Clo. *Barry* —2E 41
Owen's Ct. *Card* —3F 21
Owen St. *R'fln* —1B 6
Oxford Arc. *Card* —4A 30
Oxford Clo. *C'ln* —5E 53
Oxford La. *Card* —3C 30
Oxford St. *Barry* —4C 40
Oxford St. *Chep* —2E 69
Oxford St. *Grif* —2E 47
Oxford St. *N'grw* —5F 7
Oxford St. *Newp* —6H 57
Oxford St. *P'prdd* —2E 5
Oxford St. *Roa* —2C 30
Oxtens. *C Eva* —1C 50

Oxwich Clo. *Card* —2B 28
Oxwich Rd. *Reev I* —4B 64
Oyster Bend. *Sul* —3F 43

Pace Clo. *Card* —5H 19
Pace Rd. *F'wtr* —6B 8
Padarn Clo. *Card* —2B 22
Padarn Pl. *Pnwd* —2E 49
Paddock Clo. *Pnwd* —2D 48
Paddock Pl. *Barry* —6D 36
Paddock Rise. *Llan* —6H 49
Paddocks, The. *C'ln* —6E 53
Paddocks, The. *Llan* —6H 49
Paddocks, The. *P'rth* —4G 39
Paddocks, The. *Undy* —6H 65
Paddock, The. *Card* —5C 22
Paddock, The. *Chep* —4D 68
Paddock, The. *L'vne* —2A 14
Paget La. *Card* —6H 29
Paget Pl. *P'rth* —6D 34
Paget Rd. *Barry* —6E 41
(in three parts)
Paget St. *Card* —6H 29
Paget Ter. *P'rth* —6D 34
Palace Av. *Card* —1C 28
Palace Ct. *Card* —1C 22
Palm Clo. *New I* —6H 45
Palmerston Rd. *Barry* —1B 42
Palmerston Trad. Est. *Barry*
　—6F 37
Palmerston Workshops. *Barry*
　—6F 37
Palmer St. *Barry* —5F 37
Palm Sq. *Newp* —1B 64
Palmyra Pl. *Newp* —1F 63
Pandy. *G'mdw* —4C 48
Pandy Mawr Rd. *B'ws* —1F 9
Pandy Rd. *B'ws* —1E 9
Pant Bach. *P'rch* —5A 10
Pantbach Av. *Card* —3F 21
Pantbach Pl. *Card* —3E 21
Pantbach Rd. *Card* —1E 21
Pantcelyn Rd. *L'dgh* —5H 33
Panteg. *P'rch* —5A 10
Panteg Clo. *Card* —6D 26
Panteg Ind. Est. *Grif* —3F 47
Panteg Way. *Grif* —1F 47
Pant Glas. *Card* —6G 15
Pantglas. *P'rch* —5A 10
Pant-Glas St. *Bass* —3E 61
Pant Glas Ind. Est. *B'ws*
　—2H 9
Pant Glas Rd. *Llant* —3E 51
Pant-Gwyn Clo. *H'lys* —1A 50
Pantgwynlais. *Tong* —4H 11
Pantmawr Ct. *Card* —5B 12
Pantmawr Rd. *Card* —6B 12
Pant Pl. *Taf W* —1D 10
Pant Rd. *Newp* —3B 57
Pant Tawel La. *Rad* —1D 18
Pantycelyn Dri. *Caer* —2C 8
Pant-y-Deri Clo. *Card* —5G 27
Pantygraigwen Rd. *P'prdd*
　—1A 4
Pant-yr-Eos. *Pnwd* —3D 48
Pant-yr-Heol Clo. *H'lys*
　—2A 50
Paper Mill Rd. *Card* —3C 28
Parade, The. *Barry* —5C 40
Parade, The. *Chu V* —5A 6
Parade, The. *C'brn* —4E 49
Parade, The. *Din P* —2C 38
Parade, The. *P'prdd* —1D 4
Parade, The. *Roa* —3C 30
Parade, The. *Whit* —3B 20
Parc Av. *Caer* —2F 9
Parc Av. *Pnwd* —1D 48
Parc Hafod. *Whit* —1B 20
Parc Nantgarw. *N'grw* —5G 7
Parc Ponty Pandy. *Caer*
　—2F 9
Parc y Brain Rd. *Roger*
　—3G 55
Parc-y-Felin St. *Caer* —3E 9
Parc-y-Nant. *N'grw* —6H 7

Richards Pl.—St Lythan's Rd.

Richards Pl. Card —2D 30
Richards Ter. Card —2D 30
Richards Ter. P'prdd —1D 4
Richard St. Barry —2F 41
Richard St. Card —1A 30
Richmond Clo. Pnwd —2E 49
Richmond Ct. Card —2B 30
Richmond Cres. Card —2B 30
Richmond Pl. Pnwd —2E 49
Richmond Rd. Card —1B 30
Richmond Rd. Newp —4H 57
Richmond Rd. Pnwd —1E 49
Richmond Rd. Seb —5E 47
Richmond St. Pnwd —2E 49
Rich's Rd. Card —3F 21
Rickards St. P'prdd —3C 4
(in two parts)
Rickards Ter. P'prdd —3C 4
Ridgeway. L'vne —2A 14
Ridgeway. Newp —1A 62
Ridgeway. Trev —2D 44
Ridgeway Av. Newp —6B 56
Ridgeway Clo. G'wen —1B 4
Ridgeway Clo. Newp —6C 56
Ridgeway Ct. Newp —6B 56
Ridgeway Cres. Newp —1B 62
Ridgeway Dri. Newp —1B 62
Ridgeway Gro. Newp —1B 62
Ridgeway Hill. Newp —6C 56
Ridgeway Pk. Rd. Newp —6B 56
Ridgeway Pl. Tont —4B 6
Ridgeway Rd. Barry —1B 36
Ridgeway Rd. Rum —3G 23
Ridings, The. Tont —4B 6
Rifleman St. Ris —4B 60
Riflemans Wlk. Chep —2E 69
Ringland Cen. Newp —5G 59
Ringland Circ. Newp —6E 59
Ringwood Av. Newp —5D 58
Ringwood Hill. Newp —6D 58
Ringwood Pl. Newp —6E 59
Risca Clo. St Me —6D 16
Risca Rd. Newp —1A 62
Risca Rd. Roger —3C 54
Rise, The. Card —5A 14
Rise, The. Pnwd —2C 48
Rise, The. P'prdd —2D 6
Rise, The. Tont —3A 6
Riverdale. Card —3H 27
River Glade. Gwae G —2E 11
Rivermead Way. Roger —4C 54
River Row. P'nydd —2A 44
Riversdale. L'dff —4A 20
(in two parts)
Riverside. Garn —3B 44
Riverside. Newp —5F 57
Riverside. P'hir —3F 53
Riverside Ct. P'pool —4C 44
Riverside Pl. Barry —1B 42
Riverside St. Taf W —1D 10
Riverside Ter. Card —3B 28
Riversmead. Llan —5G 49
River St. P'prdd —4E 5
River View. Card —5C 20
(in two parts)
River View. Chep —1F 69
(St Ann St.)
River View. Chep —2E 69
(School Hill)
River View. Newp —3H 57
River View Ct. Card —5B 20
Roath Ct. Card —1D 30
Roath Ct. Llan —4G 49
Roath Ct. Pl. Card —1D 30
Roath Ct. Rd. Card —1C 30
Roath Dock Rd. Card —1F 35
Robbins La. Newp —1F 63
Robert Pl. Newp —3F 63
Roberts Clo. Roger —4F 55
Robertson Way. Newp —5H 51
Robert St. Barry —2H 41
Robert St. Cat —6A 22
Robert St. Ely —3B 28
Robin Clo. Card —6D 14
Robin Hill. Din P —3B 38
Robins La. Barry —6D 36
Robinswood Clo. P'rth —3G 39
Robinswood Cres. P'rth —3G 39
Rochdale Ter. P'nydd —2A 44
Roche Cres. Card —6G 19
Rochester Rd. Newp —6A 58
Rock Cotts. G'wen —1A 4
Rockfield Gro. Undy —5H 65
Rockfield Ho. P'pool —3B 44
Rockfield St. Newp —4G 57
Rockhill Rd. P'pool —6D 44
Rockingstone Ter. P'prdd —3E 5
Rockrose Way. P'rth —6A 34
Rock Villa La. tut —1F 69
Rockwood Rd. Chep —3E 69
Rockwood Rd. Taf W —1F 11
Roden Ct. Card —2C 30
(off Southey St.)
Roding Clo. Bet —2A 56
Rodney Pde. Newp —6F 57
Rodney Rd. Newp —6F 57
Rogersmoor Clo. P'rth —3G 39
Rogerstone Clo. St Me —6D 16
Rogiet Rd. Cald —5A 66
Rolls Clo. F'wtr —5A 48
Rolls St. Card —4F 29
Rolls Wlk. Roger —5F 55
Roman Clo. Ely —6H 27
Roman Gates. C'ln —1C 58
Roman Reach. C'ln —1H 57
Roman Way. C'ln —6E 53
Romanwell Rd. Barry —5E 41
Romilly Av. Barry —4C 40
Romilly Ct. Barry —4D 40
Romilly Cres. Card —3F 29
Romilly Pk. Rd. Barry —5B 40
Romilly Pl. Card —3E 29
Romilly Rd. Barry —3C 40
Romilly Rd. Card —3E 29
Romilly Rd. W. Card —2D 28
Romney Clo. Newp —4B 58
Romney Wlk. P'rth —6B 34
Rompney Ter. Rum —5H 23
Romsley Ct. St D —5C 48
Ronald Pl. Card —3H 27
Ronald Rd. Newp —5H 57
Rookery Wood. Sul —2E 43
Rookwood Av. Card —6B 20
Rookwood Clo. Card —6B 20
Rookwood St. Card —6G 29
Roper Clo. Card —5H 19
Roseberry Pl. P'rth —2F 39
Roseberry St. Grif —2E 47
Rose Cotts. P'prdd —2B 4
Rose Ct. T Can —5A 48
Rosedale Clo. Card —1G 27
Rose Gdns. C'iog —3H 49
Rosegarden, The. Newp —6C 56
Rosemary La. P'pool —4C 44
Rosemont Av. Ris —5C 60
Rosemount Pl. Card —4F 21
Rosendale Ct. Newp —6A 58
Rose St. Card —2C 30
Rose St. Newp —5E 57
Rose Wlk. Roger —5C 54
Rosewood Clo. L'vne —2A 14
Rosser St. P'prdd —3B 4
Rosser St. Wain —4A 44
Rosset Clo. St Me —1C 24
Rossetti Clo. Card —4A 20
Ross La. Newp —4E 57
Rosslyn Rd. Newp —6A 58
Ross St. Newp —3E 57
Rother Clo. Bet —6E 51
Rothesay Rd. Newp —6A 58
Rougemont Gro. Bul —6F 69
Roundel Clo. Thorn —1H 13
Round Wood. L'dyrn —2E 23
Round Wood Clo. Cyn —4E 23
Rover Way. Card —1F 31
Rover Way Ind. Est. Card —1F 31
Rowan Clo. P'rth —4G 39
Rowan Clo. P'cae —5B 4
Rowan Clo. Undy —5G 65
Rowan Ct. Barry —4C 40
Rowan Ct. Card —1C 28
Rowan Cres. Grif —3D 46
Rowan Dri. Bul —5E 69
Rowan Rd. Ris —1A 54
Rowan Way. L'vne —2B 14
Rowan Way. Newp —6A 52
Rowena Ct. Card —1G 27
Roxburgh Garden Ct. P'rth —2H 39
Roxby Ct. Card —5B 30
Royal Arc. Card —4A 30
Royal Bldgs. P'rth —2G 39
Royal Clo. P'rth —6C 34
Royal Oak Dri. Newp —4F 59
Royal Oak Grn. C'iog —3H 49
Royal Oak Hill. C'chu —3F 59
Royal Stuart La. Card —2D 34
Royce Wlk. Roger —5F 55
Royde Clo. Card —5C 26
Royston Cres. Newp —1C 64
Rubens Clo. Newp —4A 58
Ruby St. Card —3D 30
Rudry Clo. Caer —2H 9
Rudry Rd. L'vne —2C 14
Rudry Rd. Rud —2G 9
Rudry St. Card —6G 29
Rudry St. Newp —5F 57
Rudry St. P'rth —1F 39
Ruffett's Clo. Chep —2D 68
Rugby Rd. Newp —6G 57
Rumney Wlk. Llan —4H 49
(in two parts)
Runcorn Clo. Barry —6F 37
Runcorn Clo. St Me —5B 16
Runway Rd. Card —3G 31
Ruperra Clo. Bass —2G 61
Ruperra Clo. St Me —4B 16
Ruperra La. Newp —2F 63
Ruperra St. Newp —2F 63
Rupert Brooke Dri. Newp —3C 62
Rushbrook. G'mdw —4B 48
Rushbrook Clo. Card —3A 20
Ruskin Av. Roger —4F 55
Ruskin Clo. F'wtr —5A 48
Ruskin Clo. L'rmy —6H 15
Ruskin Rise. Newp —3B 62
Russel Clo. New I —1H 47
Russell Clo. Bass —2E 61
Russell Dri. Newp —6H 51
Russell Dri. Gdns. Newp —1D 56
Russell St. Card —2B 30
Russell St. Pnwd —2E 49
Ruthen Ter. Barry —2D 40
Rutherford Hill. Newp —6H 51
Ruthin Gdns. Card —2A 30
Ruthin Way. Tont —3A 6
Ruth Rd. New I —6F 45
Rutland Clo. Barry —1A 36
Rutland Pl. Newp —2F 63
Rutland St. Card —5G 29
Ryder St. Card —3G 29

Sable Clo. L'vne —1A 14
Sachville Av. Card —5G 21
Saffron Ct. T Can —6A 48
Saffron Dri. St Me —5E 17
St Agatha Rd. Card —3G 21
St Agnes Rd. Card —3F 21
St Agnes Wlk. Card —2E 31
St Aidan Cres. Card —3F 21
St Aidans Rise. Barry —1A 42
St Alban's Av. Card —3F 21
St Ambrose Clo. Din P —3A 38
St Ambrose Rd. Card —3G 21
St Andrew's Av. Bul —3E 69
St Andrew's Clo. P'run —6F 47
St Andrew's Cres. Card —3B 30
St Andrew's La. Card —3B 30
St Andrew's Pl. Card —3A 30
St Andrew's Rd. Barry —1E 41
St Andrew's Rd. P'cae —5B 4
St Andrew's Rd. Wen & St An —1C 36
St Angela Rd. Card —4G 21
St Anne's Av. P'rth —3F 39
St Anne's Clo. C'brn —2E 49
St Anne's Clo. Roger —1G 61
St Anne's Cres. Newp —4H 57
St Annes Cres. Undy —6H 65
St Ann's Ct. Barry —5C 36
St Ann St. Chep —1F 69
St Anthony Rd. Card —3G 21
St Anthony's Clo. Grif —3D 46
St Arvans Cres. St Me —6D 16
St Arvans Rd. C'brn —4F 49
St Asaph Clo. Card —1G 21
St Asaph's Way. Caer —6D 8
St Athan's Ct. Caer —5C 8
St Augustine Rd. Card —3G 21
St Augustine Rd. Grif —3D 46
St Augustine's Cres. P'rth —6D 34
St Augustine's Path. P'rth —6D 34
St Augustine's Pl. P'rth —6D 34
St Augustines Rd. P'rth —6D 34
St Baruch Clo. Din P —3A 38
St Baruchs Ct. Barry —5F 41
St Basil's Cres. Bass —2F 61
St Benedict Ct. Bass —3G 61
St Benedict Cres. Card —3G 21
St Benedicts Clo. Grif —3D 46
St Brannocks Clo. Barry —2C 40
St Brides Clo. Llan —5G 49
(in two parts)
St Bride's Clo. Magor —5E 65
St Brides Ct. Card —5G 27
St Brides Cres. Newp —5C 62
St Brides Gdns. Newp —5C 62
St Bride's Rd. Magor —5E 65
St Brides Rd. St Bse —1A 26
St Bride's Way. Barry —5C 36
St Brigid Rd. Card —1G 21
St Brioc Rd. Card —1G 21
St Cadoc Rd. Card —2G 21
St Cadocs Av. Din P —3A 38
St Cadoc's Clo. C'ln —6F 53
St Cadocs Rise. Barry —5F 37
St Cadoc's Rd. Trev —2D 44
St Catherines Clo. B'ws —1G 9
St Catherine's Ct. Barry —5B 36
St Catherines M. Card —2F 29
St Cenydd Clo. Caer —3B 8
St Cenydd Rd. Caer —4B 8
St Cenydd Rd. Card —1H 21
St Christopher's Dri. Caer —5C 8
St Clears Clo. Caer —5D 8
St Clements Ct. Card —5E 15
St Cyres Clo. P'rth —1E 39
St Cyres Rd. P'rth —1E 39
St David Av. Din P —1B 38
St David's Clo. Bul —3E 69
St David's Clo. N'grw —5F 7
St Davids Clo. Newp —4F 63
St David's Clo. P'pool —4C 44
St David's Ct. Magor —6E 65
St Davids Ct. M'fld —4H 17
St David's Cres. Card —4H 27
St David's Cres. Newp —4C 62
St David's Cres. P'rth —2D 38
St Davids Hall. Card —4A 30
St Davids Link. Card —4B 30
St Davids Mkt. Card —4B 30
(off St Davids Link)
St David's Rd. Card —3D 20
St David's Rd. C'brn —2F 49
St David's Way. Caer —6C 8
St Davids Way. Card —4A 30
St Denis Rd. Card —2H 21
St Dials Ct. C'brn —5E 49
St Dials Rd. C'brn —4B 48
(in two parts)
St Dogmaels Av. L'shn —6H 13
St Donats Clo. Din P —2C 38
St Donat's Ct. Caer —5C 8
St Donats Ct. Card —5G 27
St Donats Pl. Llan —5H 49
St Donats Rd. Card —5F 29
St Dyfrig Clo. Din P —3B 38
St Dyfrig Rd. P'rth —3E 39
St Edeyrns Clo. Card —1D 22
St Edeyrn's Rd. Card —1C 22
St Edward St. Newp —1E 63
St Edwen Gdns. Card —2G 21
St Ewens Rd. Bul —4E 69
St Fagans Av. Barry —1E 41
St Fagans Clo. Card —2A 28
St Fagans Ct. Card —5D 26
St Fagans Dri. St F —1E 27
St Fagans Rise. Card —1G 27
St Fagans Rd. Card —2B 28
St Fagans St. Caer —5D 8
St Fagans St. Card —1B 34
St Francis Ct. Card —4F 31
St Francis Rd. Card —2C 20
St Garmon Rd. P'rth —3E 39
St George Rd. Bul —3E 69
St George's Cres. Newp —4A 58
St George's Ho. Barry —5C 36
St George's Rd. Card —4F 21
St Georges Way. B'ly —6H 69
St Gildas Rd. Card —2H 21
St Govan's Clo. Barry —5B 36
St Gowan Av. Card —2G 21
St Gwynnos Clo. Din P —2A 38
St Helen's Ct. Caer —5C 8
St Helen's Rd. Card —3F 21
St Hilary Ct. Card —5H 27
St Hilda's Rd. Grif —3E 47
St Ilan's Way. Caer —6D 8
St Illtyd Clo. Din P —2B 38
St Illtyd Rd. Chu V —4A 6
St Ina Rd. Card —2G 21
St Isan Rd. Card —2G 21
St James Clo. Caer —2H 9
St James Ct. P'rth —3E 39
St James Cres. Barry —2B 40
St James' Field. P'pool —5C 44
St Johns Clo. Wain —4A 44
St John's Ct. Roger —5E 55
St John's Cres. Can —4F 29
St John's Cres. Roger —5E 55
St John's Cres. Whit —1C 20
St Johns Gdns. Chep —1D 68
St John's Pl. Whit —1C 20
St John's Rd. Newp —6A 58
St John St. Card —4A 30
St Josephs Clo. Undy —6H 65
St Julian Clo. Barry —6E 37
St Julian's Av. Newp —4H 57
St Julian's Ct. Caer —5C 8
St Julians Ct. Newp —4H 57
St Julian's Rd. Newp —4H 57
St Julian St. Newp —1E 63
St Kingsmark Av. Chep —1D 68
St Lawrence La. Chep —3B 68
St Lawrence Rd. Chep —1C 68
St Luke's Av. P'rth —3E 39
St Luke's Av. R'fln —1B 6
St Lukes Rd. P'nydd —2A 44
St Lythan Clo. Din P —3A 38
St Lythan Ct. Card —5G 27
St Lythan's Rd. Barry —2C 4

St Malo Rd. *Card* —1G **21**
St Margarets Clo. *Card*
　—1C **20**
St Margaret's Cres. *Card*
　—1D **30**
St Margaret's Pk. *Card*
　—3A **28**
St Margaret's Pl. *Card*
St Margaret's Rd. *Caer* —5C **8**
St Margaret's Rd. *Whit*
　—1C **20**
St Mark's Av. *Card* —4G **21**
St Mark's Cres. *Newp*
　—6D **56**
St Mark's Rd. *P'rth* —3F **39**
St Martin's Clo. *P'rth* —3E **39**
St Martin's Cres. *Card* —6D **8**
St Martin's Cres. *L'shn*
　—6H **13**
St Martin's Rd. *Caer* —5C **8**
St Marys Clo. *Ely* —6H **27**
St Mary's Clo. *Grif* —2D **46**
St Mary's Ct. *Bane* —1E **63**
St Mary's Pl. *Pskwt* —5G **57**
St Mary's Rd. *C'iog* —2G **49**
St Mary St. *B'ws* —1G **9**
St Mary St. *Card* —4A **30**
St Mary St. *Chep* —2E **69**
St Mary St. *Grif* —2D **46**
St Mary St. *Newp* —1E **63**
St Mary St. *Ris* —4A **60**
St Mary's Well Bay Rd. *Sul*
　—4H **43**
St Matthew's Rd. *C'flds*
　—6D **68**
St Maur Gdns. *Chep* —1D **68**
St Mellons Bus. Pk. *St Me*
　—5F **17**
St Mellons Clo. *Undy* —6G **65**
St Mellons Ct. *Caer* —5C **8**
St Mellons Rd. *L'vne & L'dyrn*
　—2D **14**
St Mellons Rd. *M'fld* —6G **17**
St Michael's Av. *P'prdd*
　—4D **4**
St Michaels Clo. *Tong*
　—4G **11**
St Michaels Gdns. *Barry*
　—5A **36**
St Michael's Rd. *Card* —2C **28**
St Michael St. *Newp* —3G **63**
St Nicholas Clo. *Barry*
　—4C **40**
St Nicholas Clo. *Din P*
　—2A **38**
St Nicholas Ct. *Caer* —5C **8**
St Nicholas Ct. *Card* —5E **15**
St Nicholas Ct. *Ely* —5A **28**
St Nicholas Rd. *Barry* —4C **40**
St Oswalds Clo. *Seb* —4E **47**
St Oswald's Rd. *Barry* —6E **37**
St Osyth Ct. *Barry* —5C **40**
St Paul's Av. *Barry* —3E **41**
St Paul's Av. *P'rth* —3F **39**
St Pauls Clo. *Din P* —3A **38**
St Peter's Rd. *P'rth* —3E **39**
St Peters St. *Card* —2B **30**
St Phillip's Flats. Newp
(off Cromwell Rd.) —1A **64**
St Pierre Clo. *St Me* —5E **17**
St Stephen's Clo. *C'wnt*
　—1B **66**
St Stephens Ct. *Undy* —6H **65**
St Stephens Pl. *Undy* —6H **65**
St Stephens Rd. *Newp*
　—3G **63**
St Tanwg Rd. *Card* —2G **21**
St Tathan's Pl. *C'wnt* —1B **66**
St Tecla Rd. *Bul* —4E **69**
St Teilo Rd. *Undy* —6H **65**
St Teilo Clo. *Din P* —2B **38**
St Teilo Ct. *Undy* —6H **65**
St Teilos Ct. *Card* —1D **30**
St Teilo's Way. *Caer* —6C **8**

St Tewdrics Pl. *Math* —6B **68**
St Vincent Rd. *Newp* —6F **57**
St Winifred's Clo. *Din P*
　—3A **38**
St Woolos Grn. *C'brn* —3E **49**
St Woolos Pl. *Newp* —1E **63**
Salem La. *Chu V* —4A **6**
Salem Row. *Taf W* —1D **10**
Salisbury Av. *P'rth* —2F **39**
Salisbury Clo. *Newp* —5F **57**
Salisbury Clo. *P'rth* —2F **39**
Salisbury Ct. *P'rth* —2F **39**
Salisbury Rd. *Barry* —4C **40**
Salisbury Rd. *Card* —2B **30**
Sally, The. *Tra* —5A **44**
Salmon Clo. *Card* —6E **23**
Salop Pl. *P'rth* —6C **34**
Salop St. *Caer* —5E **9**
Salop St. *P'rth* —6C **34**
Salvia Clo. *St Me* —6E **17**
Sanatorium Rd. *Card* —4E **29**
Sanctuary Ct. *Card* —6E **27**
Sanctuary, The. *Card* —6E **27**
Sandbrook Rd. *St Me* —1E **25**
Sanderling Dri. *St Me* —6D **16**
Sandon Rd. *Card* —3B **30**
Sandon St. *Card* —4B **30**
Sandpiper Clo. *St Me* —5D **16**
Sandpiper Way. *Duf* —6B **62**
Sandringham Clo. *Barry*
　—1A **36**
Sandringham Rd. *Card*
　—6C **22**
Sandybrook Clo. *C'brn*
　—6C **48**
Sandy La. *Cald* —2C **66**
Sandy La. *Cas* —3G **17**
Sandy La. *Duf* —5C **62**
Sanquahar St. *Card* —4C **30**
Sansom St. *Ris* —4B **60**
Sapele Dri. *Card* —4D **30**
Sapphire St. *Card* —2D **30**
Sardis Rd. *P'prdd* —3C **4**
(in two parts)
Sarn Ct. *Barry* —5C **36**
Sarn Pl. *Ris* —4B **60**
Saron St. *P'prdd* —4E **5**
Saundersfoot Clo. *Card*
　—6H **27**
Saunders Rd. *Card* —5A **30**
Sawtells Ter. *P'nydd* —3A **44**
Saxon Pl. *Sed* —3G **69**
Scarborough Rd. *Newp*
　—3H **57**
Scarborough Rd. *P'prdd*
　—1E **5**
Scard St. *Newp* —1E **63**
School Clo. *C'brn* —5E **49**
School Cres. *Seb* —4E **47**
School Hill. *Chep* —2E **69**
School Hill Trad. Est. *Chep*
　—2E **69**
School La. *Newp* —6F **57**
School La. *P'prdd* —2C **6**
School La. *Wain* —4B **44**
School Rd. *P'nydd* —3A **44**
School Ter. *Roger* —6E **5**
School View. *P'mle* —6D **44**
Schooner Way. *Card* —5C **30**
Scotney Way. *Card* —4G **15**
Scott Clo. *Newp* —4B **62**
Scott Ct. *Card* —4C **30**
Scott Rd. *Card* —4A **30**
Scott Wlk. *Roger* —4F **55**
Seager Dri. *Card* —3B **34**
Sealawns. *Barry* —6C **40**
Seasons Clo. *Magor* —6E **65**
Seaton's Pl. *P'prdd* —2B **4**
Seaton St. *P'prdd* —2A **4**
Sea View. *Sud* —6H **67**
Seaview Cotts. *L'rmy* —6B **16**
Seaview Ct. *P'rth* —1H **39**
Seaview Ind. Est. *Card*
　—4E **31**
Sea View Ter. *Barry* —6E **37**
Sea View Ter. *Card* —4A **32**

Seawall Rd. *Trem* —4F **31**
Seawall Rd. Ind. Est. *Trem*
　—3G **31**
Second Av. *Caer* —4B **8**
Second Av. *Card* —6E **23**
Second St. *Newp* —5B **64**
Sedbury La. *Tut* —1G **69**
(in two parts)
Sedgemoor Ct. *Newp* —5D **56**
Sedgemoor Rd. *L'rmy*
　—6A **16**
Selby Clo. *Llanf* —5H **49**
Selwyn Morris Ct. *Card*
　—4E **31**
Senghennydd Ho. *Card*
　—2B **30**
Senghennydd Pl. *Card*
　—2B **30**
Senghennydd Rd. *Card*
　—2A **30**
Senlan Ind. Est. *Rum* —6G **23**
Senni Clo. *Barry* —1C **40**
Serpentine Rd. *Newp* —6E **57**
Sevenoaks Rd. *Card* —4F **27**
Sevenoaks St. *Card* —1B **34**
Seven Stiles Av. *Newp*
　—3E **65**
Severn Av. *Barry* —2C **40**
Severn Av. *Tut* —1G **69**
Severn Bri. Ind. Est. *Pskwt*
　—6F **67**
Severn Clo. *Ris* —2A **54**
Severn Cres. *Chep* —3E **69**
Severn Gro. *Card* —2F **29**
Severn Rd. *Card* —3F **29**
Severn Rd. *Tref I* —3D **6**
Severn Ter. *Newp* —1E **63**
Severn View. *Cald* —5B **66**
Severn View. *Chep* —2D **68**
Seymour St. *Card* —3E **31**
Shaftesbury Clo. *Thorn*
　—2G **13**
Shaftesbury St. *Newp* —5F **57**
Shaftesbury Wlk. Newp
(off Evans St.) —5F **57**
Shakespeare Av. *P'rth*
　—1E **39**
Shakespeare Clo. *Cald*
　—5B **66**
Shakespeare Ct. *Card* —2C **30**
Shakespeare Cres. *Newp*
　—3B **62**
Shakespeare Dri. *Cald*
　—6B **66**
Shakespeare Rise. *P'prdd*
　—5G **5**
Shakespeare Rd. *Barry*
　—5B **36**
Shakespeare Rd. *St D*
　—5C **48**
Shamrock Rd. *Card* —1G **29**
Shannon Clo. *Bet* —1C **56**
Sharpe Clo. *P'lan* —6E **23**
Sharps Way. *Bul* —5F **69**
Shaw Clo. *L'rmy* —6A **16**
Shaw Gro. *Marsh* —3B **62**
(in two parts)
Shawley Ct. *St D* —5C **48**
Sheaf La. *Newp* —5G **57**
Shea Gdns. *Newp* —2F **63**
(off Francis Dri.)
Shearman Pl. *Card* —3C **34**
Shears Rd. *Card* —2B **28**
Shearwater Clo. *P'rth* —6G **39**
Sheerwater Clo. *St Me*
　—6C **16**
Shelburn Clo. *Card* —5G **29**
Shelley Clo. *Cald* —5B **66**
Shelley Cres. *Barry* —5A **36**
Shelley Cres. *P'rth* —1F **39**
Shelley Grn. *St D* —5C **48**
Shelley Gro. *P'rth* —1F **39**
Shelley Rd. *Newp* —6A **58**
Shelley Wlk. *Card* —2C **30**
Shelley Wlk. *P'prdd* —5G **5**
Sheppard St. *P'prdd* —2B **4**
Sherborne Av. *Card* —6C **14**

Sherbourne Clo. *Barry*
　—1A **36**
Sherbourne Ct. *Seb* —4E **47**
Sherbourne Rd. *Seb* —4E **47**
Sheridan Clo. *L'rmy* —6H **15**
Sheridan Clo. *Newp* —3B **62**
Sherwood Ct. *Card* —6H **19**
Shetland Clo. *St Ju* —4A **58**
Shetland Wlk. *St Ju* —5A **58**
Shields Clo. *Card* —4H **15**
Shirenewton Cvn. Pk. *Rum*
　—5E **25**
Shires, The. *M'fld* —4H **17**
(in two parts)
Shirley Clo. *Barry* —5F **37**
Shirley Rd. *Card* —5A **22**
Shrewsbury Clo. *Newp*
　—5F **57**
Sickert Clo. *Newp* —5B **58**
Sidney St. *Newp* —1E **63**
Silver Birch Clo. *C'ln* —1H **57**
Silver Birch Clo. *Card*
　—4D **20**
Silver Fir Sq. *Roger* —2G **61**
Silverstone Clo. *St Me*
　—5B **16**
Silver St. *Card* —3D **30**
Simpson Clo. *Newp* —6H **51**
Sims Sq. *Newp* —6E **59**
Sinclair Dri. *P'lan* —6E **23**
Sindercombe Clo. *Card*
　—4F **15**
Singleton Rd. *Card* —4E **31**
Sion St. *P'prdd* —2C **4**
Sir Alfred Owen Way. *Caer*
　—1D **8**
Sirhowy St. *Thorn* —3B **48**
Sir Ivor Pl. *Din P* —3B **38**
Sir Stafford Clo. *Caer* —2F **9**
Sixth St. *Newp* —6B **64**
Skaithmuir Rd. *Card* —2F **31**
Skelmuir Rd. *Card* —2F **31**
Skinner La. *Newp* —6F **57**
Skinner Row. *Newp* —1D **64**
Skinner St. *Newp* —6F **57**
Skomer Rd. *Barry* —5B **36**
Slade Clo. *Sul* —1F **43**
Slade Rd. *Barry* —6B **36**
Slade St. *Newp* —2A **64**
Slade Wood Ho. *Barry*
　—5C **36**
Sloper Rd. *Card* —5F **29**
Sluvad Rd. *New I* —2H **47**
Smallbrook Clo. *C'brn* —4F **49**
Smeaton St. *Card* —4G **29**
Smithies Av. *Sul* —3F **43**
Smooth Stones. *Chep*
　—3A **68**
Snatchwood Rd. *Abers*
　—1A **44**
Snatchwood Ter. *Abers*
　—1A **44**
Sneyd St. *Card* —2F **29**
Snipe St. *Card* —2C **30**
Snowden Cl. *Caer* —4F **9**
Snowden Rd. *Card* —5F **27**
Snowdon Clo. *Ris* —1A **54**
(in two parts)
Snowdon Ct. *C'iog* —2G **49**
Soane Clo. *Roger* —4F **55**
Soar Clo. *C'iog* —1H **49**
Soberton Av. *Card* —5H **21**
Soho St. *Newp* —6H **57**
Solent Rd. *Barry* —5E **37**
Solva Av. *Card* —5A **14**
Solva Clo. *Barry* —6B **36**
Somerset Ct. *L'rmy* —6A **16**
Somerset Ind. Est. *C'brn*
　—3F **49**
Somerset Rd. *Barry* —1E **41**
Somerset Rd. *C'iog* —3F **49**
Somerset Rd. *Newp* —1D **62**
Somerset Rd. E. *Barry*
　—1F **41**
Somerset St. *Card* —5G **29**
Somerset View. *Sul* —3F **43**
Somerset Way. *Bul* —6F **69**
Somerton Ct. *Newp* —2B **64**

Somerton Cres. *Newp*
　—6C **58**
Somerton La. *Newp* —1B **64**
Somerton Pk. *Newp* —1B **64**
Somerton Pl. *Newp* —6C **58**
Somerton Rd. *Newp* —6B **58**
Sophia Clo. *Card* —3G **29**
Sophia Wlk. *Card* —3G **29**
Sorrel Dri. *Newp* —5D **56**
South Av. *Seb* —5D **46**
Southbourne Ct. *Barry*
　—5F **41**
Southbrook View. *Pskwt*
　—6F **67**
S. Clive St. *Card* —2B **34**
South Clo. *Llanf* —6H **49**
Southcourt Rd. *P'lan* —5D **22**
Southern Way. *Rum* —4F **23**
Southesk Pl. *Barry* —5C **40**
Southey St. *Barry* —2F **41**
Southey St. *Card* —2C **30**
S. Loudoun Pl. *Card* —6B **30**
S. Luton Pl. *Card* —4C **30**
South Mkt. St. *Newp* —2G **63**
Southminster Rd. *Card*
　—1D **30**
S. Morgan Pl. *Card* —4G **29**
S. Pandy Rd. *Caer* —2D **8**
South Pk. Rd. *Card* —4F **31**
S. Pontypool Ind. Pk. *Grif*
　—1F **47**
South Rise. *Card* —5A **14**
South Rd. *Oakf* —1G **51**
South Rd. *Sul* —2B **43**
South St. *P'prdd* —2D **4**
South St. *Seb* —4E **47**
South View. *P'pool* —4B **44**
South View. *Taf W* —1F **11**
S. View Dri. *Rum* —2A **24**
Southville Rd. *Newp* —1C **62**
South Wlk. *Barry* —1E **41**
South Wlk. *C'brn* —4E **49**
Southway. *P'pool* —2H **45**
Sovereign Arc. *Newp* —1F **63**
Sovereign Chase. *Card*
　—4C **22**
Speke St. *Newp* —6H **57**
Spencer Dri. *L'dgh* —6D **34**
Spencer La. *R'fln* —1B **6**
Spencer Pl. *P'prdd* —1B **6**
Spencer Rd. *Newp* —1D **62**
Spencer's Row. *Card* —6C **20**
Spencer St. *Barry* —2F **41**
Spencer St. *Card* —6A **22**
Spinney Clo. *Card* —3G **27**
Spinney, The. *L'vne* —3B **14**
Spinney, The. *Newp* —1E **57**
Spires Wlk. *Barry* —5D **36**
Splott Ind. Est. *Card* —4D **30**
Splott Rd. *Card* —3D **30**
Springfield. *Cas* —3H **17**
Springfield Clo. *C'iog* —1G **49**
Springfield Clo. *R'drn* —2C **60**
Springfield Clo. *Wen* —6B **32**
Springfield Ct. *Chu V* —4A **6**
Springfield Dri. *Newp* —5E **59**
Springfield Gdns. *Morg*
　—5F **11**
Springfield La. *R'drn* —2C **60**
Springfield Pl. *Card* —3F **29**
Springfield Rise. *Barry*
　—6C **36**
Springfield Rd. *R'drn* —2C **60**
Springfield Rd. *Ris* —3A **54**
Springfield Rd. *Seb* —4D **46**
Springfield Ter. *New I*
　—1G **47**
Springfield Ter. *P'prdd* —5F **5**
Spring Gdns. *Barry* —5F **63**
Spring Gdns. Pl. *Card* —2E **31**
Spring Gdns. Ter. *Card*
　—2E **31**
Spring Gro. *G'mdw* —4H **43**
Spring Gro. *Thorn* —3H **13**
Springhurst Clo. *Card*
　—6B **12**
Spring La. *C'iog* —2G **49**

Spring Meadow Bus. Pk.—Tom Mann Clo.

Spring Meadow Bus. Pk.
   Rum —5A 24
Spring Meadow Rd. Rum
   —5A 24
Spring St. Barry —1A 42
Spring St. Newp —4E 57
Spring Ter. —3D 46
Springvale. C'brn —3C 48
   —3C 48
Springvale Ind. Est. C'brn
   —3D 48
Springwood. Card —2D 22
Spruce Clo. Card —4D 30
Spytty La. Newp —3B 64
Spytty Rd. Newp —3B 64
Square, The. B'ws —1H 9
Square, The. Din P —2A 38
Square, The. Magor —6E 65
Squires Clo. Roger —5F 55
Squires Ga. Roger —5F 55
Stacey Rd. Card —2D 30
Stacey Rd. Din P —2A 38
Stadium Clo. Card —2A 34
Stafford Rd. Cald —6C 66
Stafford Rd. Card —5G 29
Stafford Rd. Grif —1D 46
Stafford Rd. Newp —4G 57
Staines St. Card —2D 28
Stallcourt Av. Card —1D 30
Stamford Ct. Newp —5D 56
Stanford Rd. Newp —1D 62
Stanley Dri. Caer —2C 8
Stanley Pl. Pnwd —2E 49
Stanley Rd. Newp —6E 57
Stanton Way. P'rth —5G 39
Stanway Pl. Card —4F 27
Stanway Rd. Card —4F 27
Stanwell Cres. P'rth —6D 34
Stanwell Rd. P'rth —2F 39
Star La. P'rch —1A 18
Star La. Trev —3B 44
Star St. Card —3D 30
Star St. C'brn —5E 49
Star Trad. Est. P'rth —4F 53
Stathers Dri. Ris —1C 54
Station App. Bass —2G 61
Station App. C'ln —1C 58
Station App. Newp —6E 57
Station App. P'rth —2G 39
Station App. Rd. Barry
   —5E 41
Station Farm. C'iog —2F 49
Station Pl. Ris —5B 60
Station Rd. C'ln —6G 53
Station Rd. Cald —6B 66
Station Rd. Chep —2E 69
Station Rd. Chu V —5A 6
Station Rd. Din P —2A 38
Station Rd. Grif —2E 47
Station Rd. Llan N —4B 20
Station Rd. L'shn —5H 13
Station Rd. L'wrn —1H 65
Station Rd. P'rth —2G 39
Station Rd. P'hir —3D 52
Station Rd. Pnwd —2E 49
Station Rd. Pskwt —5H 67
Station Rd. Rad —2G 19
Station Rd. Ris —6B 60
Station Rd. E. Wen —5B 32
Station Rd. W. Wen —6B 32
Station St. Barry —2G 41
Station St. Newp —6E 57
Station Ter. Caer —5E 9
Station Ter. Card —3D 30
Station Ter. Ely —3B 28
Station Ter. P'rth —2G 39
Station Ter. Penyr —3B 8
Station Ter. Pnwd —2E 49
Steepfield. C'iog —1G 49
Steep St. Chep —2E 69
Steep St. P'rth —6C 34
Steer Cres. Newp —4B 58
Stella Clo. Thorn —2H 13
Stelvio Pk. Av. Newp —2C 62
Stelvio Pk. Ct. Newp —2C 62
Stelvio Pk. Cres. Newp
   —2C 62

Stelvio Pk. Dri. Newp —2C 62
Stenhousemuir Pl. Card
   —2F 31
Stephenson Ct. Card —3C 30
Stephenson Ind. Est. Newp
   —5H 63
Stephenson St. Card —4G 29
Stephenson St. Newp —4G 63
Sterndale Bennett Rd. Newp
   —6F 59
Stevelee. C Eva —6C 48
Stevenson Clo. Roger —5F 55
Stevenson Ct. Roger —5F 55
Steven Wlk. Roger —1G 61
   (off Ebenezer Dri.)
Steynton Path. F'wtr —5C 48
Stfagans Rd. Card —2G 27
Stiels. C Eva —1C 50
Stirling Rd. Barry —2A 36
Stirling Rd. Card —5E 27
Stockland St. Caer —5D 8
Stockland St. Card —6H 29
Stockton Clo. Newp —3H 57
Stockton Rd. Newp —4H 57
Stokes Dri. P'hir —3E 53
Stonechat Clo. St Me —1E 25
Stone Cotts. Sud —6H 67
Stoneleigh Ct. Card —2F 29
Stone Yd., The. Card —4F 29
Storehouse Row. N'grw
   —6G 7
   (off Quarry La.)
Storrar Pl. Card —1G 31
Storrar Rd. Card —1G 31
Stour St. Thorn —3A 48
Stow Bri. Dri. Newp —2D 62
Stowepath. Llan —5H 49
Stow Hill. Newp —1C 62
Stow Hill. P'prdd —4D 4
Stow Pk. Av. Newp —1D 62
Stow Pk. Circ. Newp —2D 62
Stow Pk. Cres. Newp —1D 62
Stow Pk. Gdns. Newp
   —2D 62
Stow Pas. Newp —1E 63
Stradling Clo. Barry —1B 40
Stradling Clo. Sul —2E 43
Strand, The. C'brn —3E 49
Stratford Grn. Barry —5E 37
Stratford Ho. Newp —2B 62
Strathnairn St. Card —1B 30
Strathy Rd. Card —6E 17
Striguil Rd. Bul —4E 69
Strongbow Rd. Bul —4E 69
Stuart Av. Chep —1D 68
Stuart Clo. Card —2H 33
Stuart St. Card —2D 34
Sturminster Rd. Card —1E 31
Stuttgart Strasse. Card
   —3B 30
Subway Rd. Barry —3G 41
Sudbrook Rd. Pskwt —5G 67
Sudbury Wlk. Newp —4F 57
   (off Evans St.)
Sudcroft St. Card —5E 29
Suffolk Ho. Card —2E 29
Sullivan Circ. Newp —1E 65
Sullivan Clo. L'rmy —6B 16
Sullivan Clo. P'rth —4F 39
Sully Moors Rd. Sul —6H 37
Sully Pl. P'rth —2G 39
Sully Rd. P'rth —6C 38
Sully Ter. P'rth —3G 39
Sully Ter. La. P'rth —3H 39
Sully View. Barry —6G 37
Summerau Ct. Card —2E 29
Summerfield Av. Card
   —5H 21
Summerfield Pl. Card —2F 21
Summerhill Av. Newp
   —5H 57
Summerhill Clo. St Me
   —6E 17
Summerhouse La. Chep
   —6F 69
Summerland Clo. L'dgh
   —5H 33
Summerland Cres. L'dgh
   —5H 33

Summerwood Clo. Card
   —1F 27
Sumner Clo. Card —5A 20
Sundew Clo. Card —5H 19
Sundew Clo. P'rth —6A 34
Sunlea Cres. P'pool —5F 45
Sunningdale. Caer —5B 8
   —3B 22
Sunningdale Ct. Newp
   —5E 59
Sunnybank. Bass —3E 61
Sunnybank. Grif —2D 46
Sunnybank Clo. Card —2E 47
Sunnybank Ct. Grif —2E 47
Sunnybank Rd. Grif —2D 46
Sunnybank Way. Grif —3D 46
Sunnybrook Clo. Card —6H 19
Sunnycroft. Pskwt —5H 67
Sunnycroft Clo. Din P —2B 38
Sunnycroft La. Din P —2B 38
Sunnycroft Rise. Din P
   —2B 38
Sunny Side. P'prdd —1B 4
   (off Mayfield Rd.)
Sun St. Card —3D 30
Surrey Pl. Newp —4H 57
Surrey St. Card —3D 28
Sussex Clo. Newp —3B 64
Sussex St. Card —5H 29
Sutherland Cres. Newp
   —4B 58
Sutton Rd. Newp —4G 57
Swallow Clo. Cald —6D 66
Swallowhurst Clo. Card
   —5D 26
Swallow Way. Duf —5B 62
   (in three parts)
Swanage Clo. St Me —6E 17
Swanbridge Gro. Sul —2G 43
Swanbridge Rd. Sul —1G 43
Swan Clo. Cald —6D 66
Swansea St. Card —4E 31
Sward Clo. Roger —4F 55
Sweldon Clo. Card —6F 27
Swift Bus. Cen., The. Card
   —4D 30
Swift Clo. L'rmy —6H 15
Swinburne Clo. Newp —6B 58
Swinton St. Card —3E 31
Swn-y-Mor. Barry —5A 40
Sycamore Av. Cald —4B 66
Sycamore Av. Newp —1B 64
   (in two parts)
Sycamore Clo. Din P —3B 38
Sycamore Clo. L'dgh —5A 34
Sycamore Ct. H'lys —1A 50
Sycamore Cres. Barry
   —6C 36
Sycamore Cres. Ris —2A 54
Sycamore Ho. Whit —1A 20
Sycamore Pl. Card —1H 27
Sycamore Pl. Up Cwm
   —1B 48
Sycamore Rd. Grif —4D 46
Sycamore St. S. Grif —4D 46
Sycamore St. P'prdd —6G 5
Sycamore St. Taf W —1D 10
Sycamore Ter. Magor —6F 65
Sycamore Tree Clo. Rad
   —1E 19
Sylvan Clo. Card —6A 20
Sylvan Clo. Newp —6A 52
Symondscliff Way. Pskwt
   —6F 67
Syon Pk. Clo. St Me —1E 25
Syr David's Av. Card
   —2D 28
System St. Card —3C 30

Tabor St. Taf W —1E 11
Taf Clo. Barry —1C 40
Taff Ct. Thorn —2A 48
Taff Embkmt. Card —6H 29
Taff Rd. Cald —4D 66
Taffs Fall Rd. Tref I —3E 7

Taffs Mead Embkmt. Card
   —5H 29
Taffs Mead Rd. Tref I —3D 6
Taff St. Card —4B 30
Taff St. P'prdd —2C 4
Taff St. Tong —4G 11
Taff Ter. Card —1C 34
Taff Ter. Rad —2G 19
Taff Vale Flats. Card —1C 34
Taff Vale Precinct. P'prdd
   —2C 4
Tafwy's Wlk. Caer —4D 8
Tai Duffryn. N'grw —6H 7
Tai Penylan. Cap L —2A 18
Tair Erw Rd. Card —3F 21
Talbot La. Newp —1F 63
Talbot Pl. Card —3G 29
Talbot St. Card —3G 29
Talfan Clo. Trev —2C 44
Talgarth Clo. C'brn —5E 49
Taliesin. C'brn —3E 49
Taliesin Clo. Roger —5G 55
Taliesin Dri. Roger —5G 55
Tallard's Pl. Sed —2G 69
Tallis Clo. Card —6F 59
Talworth St. Card —2C 30
Talybont Rd. Card —4H 27
Tal-y-Garn St. Card —5H 21
Tamar Clo. Bet —1B 56
Tanglewood Clo. L'vne
   —3A 14
Tangmere Dri. Card —5H 19
Tanhouse Dri. C'ln —1D 58
Tanybryn. Ris —3B 54
Tan-y-Coed. P'nydd —2A 44
Tan-y-Fron. Barry —5B 40
Tapley Clo. Card —6H 27
Tarrws Clo. Wen —5B 32
Tarwick Dri. St Me —1C 24
Tatem Dri. Card —2F 27
Taunton Av. L'rmy —2A 24
Taunton Cres. L'rmy —2A 24
Taverner Trad. Est. C'ln
   —6G 53
Tavistock St. Card —2B 30
Taylor St. Ris —4B 60
Taymuir Grn. Ind. Est. Card
   —1F 31
Taymuir Rd. Card —1F 31
Teal Clo. Undy —6G 65
Teal St. Card —2C 30
Teamans Row. Morg —5F 11
Teasel Av. P'rth —6A 34
Tedder Clo. L'shn —6H 13
Tees Clo. Bet —1C 56
Tegfan. Caer —4B 8
Tegfan. Card —3F 29
Tegfan Clo. L'shn —5G 13
Tegfan Ct. H'lys —1A 50
Tegruff Ct. Barry —5C 36
Teifi Dri. Barry —2C 40
Teifi Pl. Card —4H 27
Teilo St. Card —2F 29
Telelkebir Rd. P'prdd —1A 4
Telford Clo. Roger —5G 55
Telford St. Card —4G 29
Telford St. Newp —1H 63
Temperance Hill. Ris —4B 60
Temperance Pl. P'prdd —2C 4
Temperance Rd. P'rch
   —4A 10
Temple St. Newp —3G 63
Templeton Av. L'shn —4F 13
Tenby Clo. Din P —2C 38
Tenby Clo. Llan —4G 49
Tenby St. Caer —3A 8
Tenison Rd. Trev —2D 44
Tennyson Av. L'wrn —1H 65
Tennyson Clo. Cald —5B 66
Tennyson Clo. P'prdd —5G 5
Tennyson Rd. Barry —5A 36
Tennyson Rd. Cald —5B 66
Tennyson Rd. Newp —6A 58
Tennyson Rd. P'rth —1E 39
Tensing Clo. Card —4H 19
Tensing Ter. Barry —1H 41
Tern Clo. St Me —5D 16

Tern Ct. Thorn —2A 48
Terrace, The. Sud —6H 67
Tetbury Clo. Newp —4F 57
Tewdric Ct. C'iog —2H 49
Tewdric Rd. Bul —3E 69
Tewends. F'wtr —6B 48
Tewkesbury Pl. Card —5A 22
Tewkesbury St. Card —6A 22
Tewkesbury Wlk. Newp
   (off Pugsley St.) —5F 57
Teynes. C Eva —6B 48
Thackeray Cres. L'rmy
   —6H 15
Thames Clo. Bet —2B 56
Theobald Rd. Card —4E 29
Theodora St. Card —2E 31
Thesiger St. Card —1A 30
Third Av. Caer —4B 8
Third Av. Newp —5B 64
Thirlmere Pl. Newp —3A 58
Thistle Ct. T Can —5A 48
Thistle Way. Card —1C 28
Thistle Way. Ris —2A 54
Thomas Gro. Roger —1G 61
Thomas St. Caer —1A 8
Thomas St. Card —6H 29
Thomas St. Chep —2E 69
Thomas St. Newp —6F 57
Thomas St. P'prdd —2C 4
Thomasville. Caer —3B 8
Thompson Av. Card —2C 28
Thompson Av. Newp —2C 64
Thompson Clo. Newp —2D 64
Thompson Pl. Card —2C 28
Thompson St. Barry —3F 41
Thompson St. Hop —2A 4
Thorley Clo. Card —3B 22
Thornaby Ct. Card —5B 30
Thornbury Clo. Card —1E 13
Thornbury Pk. Roger —1F 61
   (in two parts)
Thornbury Pk. La. Roger
   —1F 61
Thorncliff Ct. St D —5C 48
Thorn Gro. P'rth —5H 39
Thornhill Clo. Up Cwm
   —1B 48
Thornhill Ct. Card —5F 13
Thornhill Gdns. Roger
   —4D 54
Thornhill Rd. Caer & Card
   —1E 13
Thornhill Rd. Up Cwm
   —3B 48
Thornhill St. Card —3E 29
Thornhill Way. Roger —5D 54
Thorntree Dri. Chep —6F 69
Thornwell Rd. Bul —4E 69
Thornwood Clo. Thorn
   —2G 13
Three Arches Av. Card
   —1A 22
Three Oaks Clo. B'ws —1G 9
Thrush Clo. St Me —6E 17
Thurston Rd. P'prdd —1D 4
Thurston St. Card —4F 29
Tidenham Ct. Card —5H 27
Tidenham Rd. Card —5H 27
Till Gro. C'ln —6E 53
Tillsland. C Eva —1D 50
Timbers Sq. Card —1D 30
Timothy Rees Clo. Card
   —4H 19
Tin St. Card —3D 30
Tintagel Clo. Thorn —3F 13
Tintern Clo. C'brn —5E 49
Tintern St. Card —3E 29
Tippet Clo. Newp —6F 59
Tir Coed. Card —2B 8
Tir-y-Cwm La. Ris —6B 60
Tir-y-Cwm Rd. Ris —6B 60
Titan Rd. Card —5D 30
Tiverton Dri. Rum —3G 23
Toftingall Av. Card —2F 21
Tollgate Clo. Caer —2G 9
Tollgate Clo. Card —1C 33
Tolpath. C Eva —6A 48
Tom Mann Clo. Newp —4E 59

Willow Clo. *Newp* —3C **64**
Willow Clo. *P'rth* —2E **39**
Willow Ct. *Card* —2C **30**
Willow Cres. *Barry* —6C **36**
Willowdale Clo. *Card* —1G **27**
Willowdale Rd. *Card* —1F **27**
Willowdene Way. *St Me*
—5E **17**
Willowfield Ct. *Card* —1C **22**
Willowford, The. *P'prdd*
—5F **7**
(off Kier Hardie Cres.)
Willow Grn. *C'ln* —6E **53**
Willow Gro. *St Me* —5E **17**
Willowherb Clo. *St Me*
—1E **25**
Willowmere. *L'dgh* —4H **33**
Willows Av. *Card* —3F **31**
Willows, The. *B'ws* —1H **9**
Willows, The. *Undy* —6F **65**
Willow St. *P'prdd* —6G **5**
Willow Tree Clo. *Rad* —1D **18**
Will Paynter Wlk. *Newp*
—4E **59**
(off Kier Hardie Cres.)
Wills Row. *Roger* —1G **61**
Wilson Pl. *Card* —5G **27**
Wilson Rd. *Card* —4F **27**
Wilson Rd. *Newp* —4B **58**
Wilson St. *Card* —2E **31**
Wilson St. *Newp* —3G **63**
Wimborne Cres. *Sul* —2F **43**
Wimborne Rise. *Pnwd*
—2C **48**
Wimbourne Rd. *Barry*
—3A **42**
Winchester Av. *P'lan* —5D **22**
Winchester Clo. *Barry*
—2D **40**
Winchester Clo. *Newp*
—4D **62**
Windermere Av. *Card* —3A **22**
Windermere Ct. *St D* —4C **48**
Windermere Sq. *Newp*
—3H **57**
Windflower Clo. *St Me*
—1E **25**
Windhover Clo. *St Me*
—1E **25**
Windlass Ct. *Card* —6C **30**
Windmill Clo. *Thorn* —3G **13**
Windmill Sq. *Newp* —2F **63**
(off Commercial Rd.)
Windrush Clo. *Bet* —1B **56**
Windrush Pl. *Card* —1H **27**
Windsor Arc. *P'rth* —1G **39**
Windsor Av. *Rad* —1F **19**
Windsor Clo. *Rad* —1F **19**
Windsor Ct. *Card* —3C **30**
Windsor Ct. *P'rth* —1H **39**
Windsor Cres. *Rad* —2G **19**
Windsor Dri. *Magor* —6E **65**

Windsor Esplanade. *Card*
—2D **34**
Windsor Gdns. *Card* —3A **28**
Windsor Gdns. *Magor*
—6E **65**
Windsor Grn. *Card* —3A **28**
Windsor Gro. *Rad* —1F **19**
Windsor Ho. *Card* —4H **29**
Windsor La. *Card* —3B **30**
Windsor La. *P'rth* —6C **34**
Windsor M. *Card* —4C **30**
Windsor Pk. *Magor* —6E **65**
Windsor Pl. *Card* —3B **30**
Windsor Pl. *P'rth* —1G **39**
Windsor Pl. *Roger* —1G **61**
Windsor Rd. *Barry* —4D **40**
Windsor Rd. *Card* —4C **30**
Windsor Rd. *F'wtr* —5B **48**
Windsor Rd. *Grif* —2E **47**
Windsor Rd. *Newp* —1A **64**
Windsor Rd. *P'rth* —5A **34**
Windsor Rd. *P'prdd* —4E **5**
Windsor Rd. *Rad* —2F **19**
Windsor St. *Caer* —5E **9**
Windsor Ter. *Newp* —1E **63**
Windsor Ter. *P'rth* —1H **39**
Windsor Ter. La. *P'rth*
—1H **39**
Windway Av. *Card* —3C **28**
Windway Rd. *Card* —2B **28**
Windyridge. *Din P* —3C **38**
Wingate Dri. *L'shn* —1H **21**
Wingate St. *Newp* —4F **63**
Wingfield Clo. *P'prdd* —2E **5**
Wingfield Rd. *Card* —3B **20**
Winifred Av. *Barry* —5A **36**
Winmill St. *Newp* —2G **63**
Winsford Rd. *Sul* —3G **43**
Winstone Rd. *Trev* —2B **44**
Winston Rd. *Barry* —5A **36**
Winston Sq. *Barry* —5A **36**
Wintour Clo. *Chep* —1D **68**
Wisteria Clo. *Newp* —4A **52**
Wiston Path. *F'wtr* —5B **48**
Witham St. *Newp* —1H **63**
Withy Clo. *Magor* —6E **65**
Withycombe Rd. *L'rmy*
—5A **16**
Withy Wlk. *Magor* —6E **65**
Witla Ct. Rd. *Rum* —2A **24**
Wolfe Clo. *Barry* —6E **37**
Wolfs Castle Av. *L'shn*
—4G **13**
Wolseley Clo. *Newp* —4F **63**
Wolseley Rd. *Newp* —4F **63**
(in two parts)
Womanby St. *Card* —4A **30**
Woodbine Gdns. *Magor*
—6F **65**
Wood Clo. *L'vne* —4B **14**

Wood Clo. *Llanf* —6H **49**
Wood Clo. *Roger* —4F **55**
Woodcock St. *Card* —2C **30**
Wood Cotts. *Taf W* —1F **11**
Wood Cres. *Roger* —4F **55**
Woodfield Av. *Rad* —3G **19**
Woodfield Rd. *New I* —1G **47**
Woodford Clo. *Card* —6A **20**
Woodham Clo. *Barry* —1D **40**
Woodham Pk. *Barry* —1D **40**
Woodham Rd. *Barry* —3H **41**
(in two parts)
Woodland Ct. *C'iog* —3G **49**
Woodland Cres. *Cyn* —3C **22**
Woodland Dri. *Bass* —2E **61**
Woodland Dri. *Roger* —4D **54**
Woodland Pk. Rd. *Newp*
—5A **58**
Woodland Pk. View. *Newp*
—5A **58**
Woodland Pl. *Card* —2C **30**
Woodland Pl. *P'rth* —1G **39**
Woodland Rd. *Card* —3B **20**
Woodland Rd. *C'iog* —2G **49**
Woodland Rd. *Newp* —5A **58**
Woodlands Ct. *Barry* —2F **41**
Woodlands Dri. *Newp*
—5H **51**
Woodlands Pk. Dri. *Card*
—6G **27**
Woodlands Rd. *Barry* —2F **41**
Woodlands, The. *L'vne*
—3B **14**
Woodlands, The. *P'garn*
—4D **44**
Woodland St. *C'brn* —3C **48**
Woodland Ter. *M'coed* —3B **4**
Woodland Valley. *C'wnt*
—2C **66**
Woodland View. *Cald* —4B **66**
Woodland View. *Rog* —6A **66**
Woodlawn Way. *Thorn*
—2G **13**
Wood Path. *C'iog* —3G **49**
Wood Rd. *P'prdd* —3D **4**
Woodside. *Duf* —6B **62**
(in four parts)
Woodside Ct. *Card* —4A **14**
Woodside Rd. *C'brn* —3E **49**
Woodside Rd. *Trev* —1B **44**
Woodside Ter. *C'brn* —3D **48**
Woodside Way. *C'brn* —3C **48**
Woodstock Clo. *Barry*
—2D **40**
Woodstock Ct. *Cald* —6C **66**
Woodstock Way. *Cald*
—6C **66**
Wood St. *Card* —5A **30**
Wood St. *P'rth* —1G **39**
Woodvale Av. *Card* —6C **14**
Woodvale Ho. *R'drn* —2D **60**

Woodview Ct. *Coed* —5B **44**
Wood View Cres. *Ris* —6C **60**
Wood View Rd. *Ris* —5C **60**
Woodview Ter. *P'pool*
—5B **44**
Woodville Ct. *Card* —1A **30**
Woodville Rd. *Card* —1A **30**
Woodville Rd. *Newp* —1C **62**
Woolacombe Av. *L'rmy*
—2A **24**
Woolaston Av. *Card* —3B **22**
Woolmer Clo. *Card* —5H **19**
Woolos Ct. *Newp* —1E **63**
Woolpitch. *G'mdw* —4B **48**
Woosnham Clo. *Card* —6E **23**
Worcester Clo. *Llan* —4G **49**
Worcester Ct. *Card* —2B **34**
Worcester Cres. *Newp*
—3A **58**
Worcester Path. *Llan* —4G **49**
Worcester St. *Card* —1B **34**
Wordsworth Av. *Card* —2C **30**
Wordsworth Av. *P'rth* —1E **39**
Wordsworth Clo. *Cald*
—6B **66**
Wordsworth Clo. *C'brn*
—5D **48**
Wordsworth Gdns. *P'prdd*
—5H **5**
Wordsworth Rd. *Newp*
—6A **58**
Working St. *Card* —4A **30**
Worle Av. *L'rmy* —2H **23**
Worle Pl. *L'rmy* —2H **23**
Wren Clo. *St Me* —1E **25**
Wrexham Ct. *Rum* —2C **24**
Wright Clo. *Newp* —2B **64**
Wroughton Pl. *Ely* —2A **28**
Wyebank Av. *Tut* —1G **69**
Wyebank Clo. *Tut* —2G **69**
Wyebank Cres. *Tut* —2G **69**
Wyebank Pl. *Tut* —2G **69**
Wyebank Rise. *Tut* —2G **69**
Wyebank Rd. *Tut* —2G **69**
Wyebank View. *Tut* —2G **69**
Wyebank Way. *Tut* —2G **69**
Wye Clo. *Barry* —1C **40**
Wye Ct. *Thorn* —3B **48**
Wye Cres. *Bet* —1B **56**
Wye Cres. *Chep* —3E **69**
Wyelands View. *Math* —6B **68**
Wye Valley Link Rd. *Chep*
—3D **68**
Wye Valley Wlk. *Chep*
—1D **68**
Wyeverne Ct. *Card* —2A **30**
Wyeverne Rd. *Card* —1A **30**
Wyeverne Rd. *Newp* —6B **58**
Wyfan Pl. *Card* —5F **21**
Wyncliffe Rd. *P'wyn* —5G **15**
Wyndham Arc. *Card* —4A **30**

Wyndham Cres. *Card* —3F **29**
Wyndham Pl. *Card* —4G **29**
Wyndham Rd. *Card* —3F **29**
Wyndham St. *Barry* —2F **41**
Wyndham St. *Card* —4G **29**
Wyndham St. *Newp* —5F **57**
Wyndham St. *Tong* —4G **11**
Wyndham Ter. *L'shn* —5A **14**
Wyndham Ter. *Ris* —2A **54**
Wynd St. *Barry* —1H **41**
Wynnstay Clo. *Card* —6G **29**
Wyon Clo. *L'dff* —4H **19**

Y
Y Cilgant. *Caer* —1B **8**
Y Dolydd. *Caer* —6C **8**
Yeo Clo. *Bet* —2A **56**
Yeo Rd. *Bet* —2B **56**
Yetts, The. *Sed* —2H **69**
Yewberry Clo. *Newp* —1E **57**
Yewberry La. *Newp* —1E **57**
Yew St. *Taf W* —1E **11**
Yewtree Clo. *Card* —1G **27**
Yewtree Clo. *Undy* —6G **65**
Yew Tree Ct. *Barry* —4C **40**
Yew Tree Ct. *Card* —5C **22**
Yew Tree La. *C'ln* —6G **53**
Yew Tree Ter. *C'brn* —5D **48**
Yew Tree Ter. *C'iog* —2G **49**
Y Felin Ffrwd. *Caer* —3B **8**
Y Goedwig. *Card* —5C **12**
Y Groes. *Card* —6D **12**
Ynysangharad Rd. *P'prdd*
—2D **4**
Ynys Clo. *P'prdd* —5F **5**
Ynyscorrwg Rd. *P'prdd*
—1C **6**
Ynysfach Yd. *Tong* —4F **11**
Ynys-Gyfelin Rd. *P'prdd*
—1C **4**
Ynys La. *C'iog* —2G **49**
Ynyslyn Rd. *P'prdd* —1C **6**
Ynys Ter. *P'prdd* —6F **5**
Yorath Rd. *Card* —2D **20**
York Clo. *G'mdw* —4A **48**
York Ct. *Card* —5C **30**
(off Schooner Way)
York Pl. *Barry* —4D **40**
York Pl. *Newp* —1E **63**
York Pl. *Ris* —4B **60**
York Rd. *Newp* —4H **57**
York St. *Card* —4E **29**
(in two parts)
Youldon Ho. *Din P* —2B **38**
Yr Hendre. *N'grw* —5H **7**
Ysgol Pl. *Pnwd* —1C **48**
Ystrad Clo. *St Me* —6E **17**
Ystrad St. *Card* —1C **34**

Zinc St. *Card* —3D **30**

INDEX TO PLACES OF INTEREST

with their map square reference

Amphitheatre. (Caerleon) —2C **58**

Barry Island Tourist Info. Cen. —5F **41**

Caerleon Tourist Info. Cen. —2D **58**
Caerphilly Castle. —4E **9**
Caldicot Castle. —5E **67**
Caldicot Castle Country Park. —4E **67**
Cardiff Bay Visitors Cen. —2E **35**
Cardiff Castle. —3H **29**
Cardiff City Farm. —6F **29**
Cardiff R.C. Cathedral. —4B **30**
Cardiff Tourist Info. Cen. —5A **30**
Castell Coch. —3G **11**
Chepstow Castle. —1E **69**
Chepstow Museum. —1F **69**
Chepstow Tourist Info. Cen. —1E **69**
Cosmeston Lakes Country Park. —6E **39**
Cosmeston Medieval Village. —6F **39**

Dinas Powys Castle. —1A **38**

Ffwrrwm Arts & Craft Cen. —2D *58*
(off Caerleon Rd.)
Forest Farm Country Park. —1G **19**

Glamorganshire Canal Nature Reserve.
—1H **19**

Greenmeadow Community Farm.
—3B **48**

Isca Roman Fortress. —1C **58**

Junction Cottage Museum. —6E **45**

Llandaff Cathedral. —6D **20**
Llantarnam Grange. —4F **49**
Llanyrafon Farm Museum. —5G **49**

Mansion House. —2B **30**
Museum of Magic Machines. —4A **30**

Nantgarw China Works Museum. —5H **7**
National Museum of Wales. —3A **30**
National Techniquest Science Cen. —2D **34**
Newport Castle. —6F **57**
Newport Cathedral. —1E **63**
Newport Tourist Info. Cen. —1F **63**
Norwegian Church. —2E **35**

Parc Cefn Onn Country Park. —1H **13**
Penarth Tourist Info. Cen. —2H **39**
Pontypridd Historical & Cultural Cen. —2C *4*
(off Berw Rd.)
Pontypridd Tourist Info. Cen. —1C **4**

Pont-y-ty-Pridd. —2C *4*
(off Taff St.)
Porthkerry Country Park. —4A **40**
Port Wall. —2E **69**

Queen's (1st) Dragoon Guards Museum, The
—3A **30**

Roman Legionary Museum. —1C **58**

St Fagans Castle. —2D **26**
Stuart Crystal. —1F *69*
(off Bridge St.)

Transporter Bridge. —4G **63**
Tredegar Fort. —3A **62**
Tredegar House Country Park. —6A **62**
Turner House Gallery. —2H **39**

Vale of Glamorgan Railway Visitors Cen.
—5F **41**
Valley Inheritance Museum, The. —5C **44**
Venta Silurum (Roman Town). —1A **66**

Welch Regiment Museum, The. —3A **30**
Welsh Folk Museum. —2D **26**
Welsh Ind. & Maritime Mus. —2E **35**